ISBN 978-2-07-064522-0
© 2010 Gallimard Jeunesse, Paris
Loi n° 49-956 du 16 juillet 1949 sur
les publications destinées à la jeunesse
Dépôt légal : octobre 2011
N° d'édition : 239068
Photogravure Scanplus
Imprimé et relié en Espagne par Egedsa

Tothème

L'art

Caroline
Larroche

GALLIMARD JEUNESSE

COMMENT ÇA MARCHE ?

DATE

L'histoire de l'art est jalonnée de grands mouvements artistiques, de révolutions intellectuelles ou technologiques, de scandales. C'est une discipline vivante et sans cesse en mouvement.

ŒUVRE

Impossible de définir ce qu'est une œuvre d'art tant elle a de multiples caractéristiques. Cette balade au fil d'œuvres clés permet de comprendre le parti pris, la composition, l'originalité de certaines.

ARTISTE

Épris de formes idéales, maître de la couleur, obsédé par la perfection, réaliste, romantique, populaire, dépressif, génial, naturaliste, théoricien : la galerie d'artistes que nous proposons présente toutes ces facettes du créateur.

GENRE

Sujets religieux, mythologique, historique, portrait, nature morte ou paysage, chaque genre a connu son heure de gloire et ses génies.

RÔLE

Artisan puis artiste, mécène, marchand d'art, modèle, critique d'art, public : le monde de l'art est plein de personnages hauts en couleur et passionnants.

TECHNIQUE

L'art évolue en fonction des nouvelles techniques, des supports et du matériel dont l'artiste dispose. Chaque invention offre de nouveaux champs d'expérimentation !

POURQUOI ?

Quelle motivation pousse l'artiste à créer ? Délivrer un message aux spectateurs, gagner de l'argent en répondant à une commande, peindre une belle toile, laisser une trace sur terre ?

Si tu aimes les exposés structurés et chronologiques (commencer par le début et terminer par la fin), parcours ton livre de 1 à 60 !

Chaque entrée est classée de 1 à 60. La couleur du cube indique à quelle famille elle appartient.

Nom de la famille

Nom de l'entrée

Si tu es perdu, reporte-toi au sommaire (page suivante) ou bien ouvre le dernier rabat : il te permet à tout moment de retrouver les 60 sujets, classés par thème.

PEINTRE · YVES KLEIN

LE PEINTRE DU BLEU ET DE L'ESPACE

Pour Yves Klein, l'art est présent dans l'infini du cosmos, à l'état invisible. À lui de le rendre visible, en faisant du bleu SA couleur, car l'infini, c'est forcément bleu !

En décidant de se consacrer à l'art, Yves Klein va réinventer le « métier » d'artiste : pour lui, c'est le geste spectaculaire qui prime sur l'œuvre réalisée. Le geste, c'est de couvrir ses toiles d'une seule couleur et au rouleau, comme un peintre en bâtiment ! Le geste, c'est de mettre au point un bleu rien qu'à lui et d'en déposer le brevet sous le nom d'IKB, International Klein Blue ! C'est aussi d'organiser une exposition sur le « Vide » – avec rien à voir – ou de transformer des modèles – des corps nus enduits de bleu – en « pinceaux vivants » ! C'est enfin de se déclarer « le peintre de l'espace ».

« LE BLEU N'A PAS DE DIMENSION, [...] IL RAPPELLE TOUT AU PLUS LA MER ET LE CIEL, CE QU'IL Y A DE PLUS ABSTRAIT DANS LA NATURE. »
Yves Klein

Si c'est en IKB, c'est peint par Klein ! Ses 205 monochromes bleus ont pour titre IKB, suivi d'un numéro : certaines sont très lisses, d'autres présentent des effets de matière qui accrochent la lumière, comme IKB 46, peinte en 1955.

CARTE D'IDENTITÉ
Dates : 1928-1962
Nationalité : Française
Activité : peintre
Signe particulier : ceinture noire, 4e dan de judo.

Dès ses débuts, Klein aime se mettre en scène : se faire photographier avec son fameux rouleau et se faire appeler « Yves le Monochrome ». En huit ans d'une carrière fulgurante – il meurt à 34 ans –, il multiplie les performances audacieuses, comme brûler des toiles pour créer des peintures de feu !

Pour interroger la réalité, Magritte crée des images en apparence absurdes... surréalistes !

Un parcours à travers 60 entrées réparties en 7 familles pour connaître les clés de l'art

DATE
ARTISTE
GENRE
ŒUVRE
POURQUOI ?
RÔLE
TECHNIQUE

Si tu préfères naviguer au fil de ta curiosité et créer des liens entre les sujets – parfois surprenants et inattendus ! –, suis les indications en bas de page.

Enfin, si tu connais à l'avance le sujet qui t'intéresse (ou si tu dois faire un exposé), tu peux directement aller voir l'index à la fin du livre.

Les dates, les œuvres, les artistes et les techniques sont classés par ordre **chronologique**. Les autres sujets, plus **thématiques** (genre, rôle, pourquoi ?), donnent au fil du livre des repères essentiels pour comprendre toute la richesse de l'art.

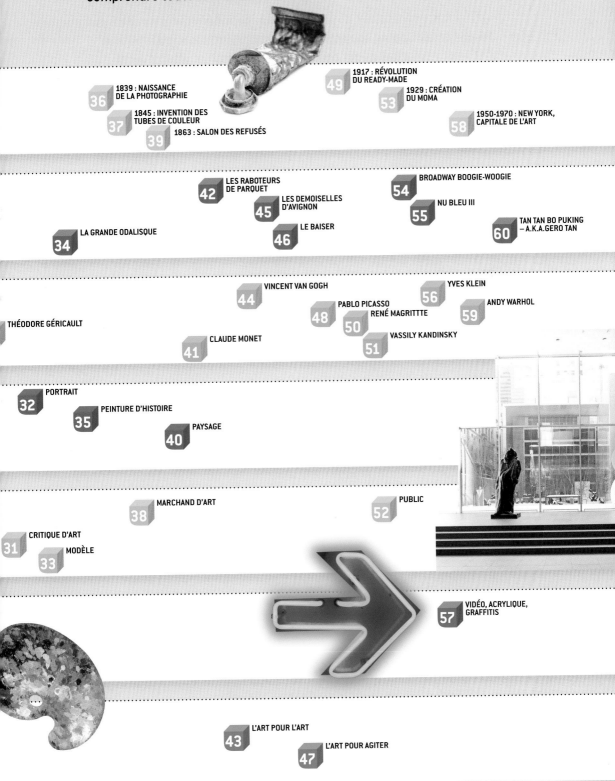

36 1839 : NAISSANCE DE LA PHOTOGRAPHIE

37 1845 : INVENTION DES TUBES DE COULEUR

39 1863 : SALON DES REFUSÉS

49 1917 : RÉVOLUTION DU READY-MADE

53 1929 : CRÉATION DU MOMA

58 1950-1970 : NEW YORK, CAPITALE DE L'ART

42 LES RABOTEURS DE PARQUET

45 LES DEMOISELLES D'AVIGNON

46 LE BAISER

34 LA GRANDE ODALISQUE

54 BROADWAY BOOGIE-WOOGIE

55 NU BLEU III

60 TAN TAN BO PUKING – A.K.A.GERO TAN

44 VINCENT VAN GOGH

48 PABLO PICASSO

50 RENÉ MAGRITTTE

51 VASSILY KANDINSKY

56 YVES KLEIN

59 ANDY WARHOL

THÉODORE GÉRICAULT

41 CLAUDE MONET

32 PORTRAIT

35 PEINTURE D'HISTOIRE

40 PAYSAGE

38 MARCHAND D'ART

52 PUBLIC

31 CRITIQUE D'ART

33 MODÈLE

57 VIDÉO, ACRYLIQUE, GRAFFITIS

43 L'ART POUR L'ART

47 L'ART POUR AGITER

LE MONDE MERVEILLEUX DE L'ART

Art : trois lettres pour désigner un monde merveilleux, revisité par les artistes. Depuis toujours, ils utilisent leur talent pour recréer la beauté des choses qui nous entourent, et nous offrent ainsi un univers de formes et de couleurs qui donne à voir et à réfléchir, à s'émouvoir.

L'art est, après la vie, sans doute ce qu'il y a de plus précieux. Certains pensent qu'il ne sert à rien, mais alors comment expliquer que, depuis des millénaires, les hommes utilisent des matériaux à leur disposition pour créer de leurs mains des images, inspirées de leurs croyances ou de la réalité ? Découvrir le monde de l'art, c'est tout simplement se plonger dans l'histoire de l'humanité, des hommes de Cro-Magnon qui décorent leurs cavernes aux artistes du XIXᵉ siècle qui quittent leur atelier pour peindre en plein air, des grands maîtres de la Renaissance qui réinventent la beauté idéale aux agitateurs du XXᵉ siècle qui font exploser toutes les règles de la représentation.

Nous avons ainsi accès à une formidable machine à remonter le temps !

Chaque œuvre d'art évoque, à elle seule, une époque, un pays, un contexte économique, un environnement spirituel et politique. Car l'art a cette force : il traverse les siècles, et se renouvelle sans cesse grâce à l'imagination des artistes, qu'ils restent anonymes ou deviennent très célèbres, qu'ils répondent aux commandes de l'Église ou à celles des princes et des rois, qu'ils représentent les dieux de la mythologie ou des scènes de la vie quotidienne.

S'aventurer dans le monde de l'art, c'est embarquer pour un voyage plein de surprises : découvrir que tout grand artiste a un style à nul autre pareil, que les goûts et les techniques n'ont pas cessé d'évoluer, qu'il existe en peinture des genres aussi différents que le portrait, la nature morte ou le paysage. C'est comprendre pourquoi certains artistes ont du génie, comme Léonard de Vinci, Vélasquez ou Picasso, que l'on peut être un peintre un peu voyou ou un peu fou mais plein de talent, que les uns préfèrent l'abstraction au figuratif, que d'autres encore ont tous les culots, y compris celui de transformer un urinoir ou des boîtes de conserve en œuvres d'art !

Et parce que l'art est accessible à tous, pourquoi ne pas se mettre carrément dans la peau d'un artiste ou de l'un de ces acteurs essentiels que sont les mécènes, les modèles, les critiques et les marchands. Et bien sûr dans celle du public, dont nous faisons tous partie, grands et petits ! Car les créations des hommes s'adressent aux hommes : chacun de nous peut apprécier une peinture ou une sculpture et, même si nous ne comprenons pas d'emblée son sens, nous ressentirons toujours une émotion face à elle !

01 L'ART DES CAVERNES

Il y a plus de 30 000 ans, les hommes vivaient de la cueillette, de la chasse et de la pêche. Ils ne connaissaient ni l'agriculture ni l'élevage, mais ils étaient déjà peintres et sculpteurs.

Les hommes n'avaient pas encore inventé l'écriture qu'ils peignaient déjà ! On trouve de nombreuses peintures dans les grottes qu'ils occupaient au paléolithique supérieur, entre -30 000 et -12 000 ans. Réalisées sur les parois des cavernes, d'où le nom d'art pariétal, elles représentent surtout des animaux, plus rarement des êtres humains. Les peintres savaient profiter des reliefs de la pierre pour animer leurs scènes. Ils utilisaient des couleurs issues de terres minérales : l'ocre pour les bruns, l'hématite pour le noir et le rouge, la limonite pour le jaune et le kaolin pour le blanc.

Pour s'éclairer, ils disposaient de lampes à graisse et de torches en bois de genévrier. On a même retrouvé des traces d'échafaudages servant à atteindre le haut plafond des cavités. La majorité de ces grottes ornées se trouve dans le sud de la France et le nord de l'Espagne, là où la population était concentrée, du fait d'un climat agréable.

Des sculpteurs inventifs

Les hommes du paléolithique aimaient aussi décorer leurs outils et sculpter de drôles de figurines, aux formes généreuses. Il s'agit de statuettes féminines, auxquelles on donne aujourd'hui le nom de Vénus, la déesse romaine de l'Amour. Il s'agit de symboles de fécondité, destinés à favoriser les naissances… en ces temps lointains où les populations étaient peu nombreuses au milieu d'immenses contrées.

Une science en mouvement

On a longtemps cru, avec la découverte en 1880 de la grotte d'Altamira (Espagne), datée d'environ -15 000 ans, puis de celle, en 1940, de Lascaux (Dordogne, France), datée de -17 000 ans, que l'art ne remontait guère au-delà. En 1994, la découverte d'une grotte en Ardèche (France) stupéfie les préhistoriens du monde entier : ses peintures, remarquables, datent d'environ -31 000 ans ! Cette grotte, appelée Chauvet du nom de son découvreur, est la plus ancienne grotte ornée connue.

La technique utilisée pour peindre les parois des cavernes est très éloignée de celle utilisée

On ne connaît pas la **signification** précise des peintures pariétales. S'agit-il de simples décors ? Sans doute pas, car il n'est pas rare de trouver à proximité, sur le sol, des traces de danses. Ces représentations d'animaux devaient faire partie d'un rituel magique destiné à revenir victorieux de la chasse !

La plupart des animaux peints dans la grotte Chauvet sont des bêtes dangereuses (lions, rhinocéros, panthères, hyènes, ours). Les **lions** ici appartiennent à une espèce disparue, dont les mâles n'avaient pas de... crinière !

Des **statuettes de Vénus** ont été retrouvées dans toute l'Europe et en Sibérie. Réalisées dans divers matériaux (ivoire de mammouth, bois de cervidés, os ou pierre), elles ont toutes entre –27 000 et –17 000 ans, et ne mesurent que 5 à 10 cm de hauteur. Elles sont dotées d'une petite tête sans visage, mais de fesses, de seins et d'un ventre volumineux, comme si elles étaient enceintes. On parle d'ailleurs de Vénus stéatopyge, stéatopyge signifiant « avoir de très grosses fesses » !

31000

02

LE PLUS ILLUSTRE DES ARTISTES GRECS

Le sculpteur Phidias, actif au temps de la splendeur d'Athènes sous Périclès, au Ve siècle av. J.-C., est le plus célèbre représentant de l'art classique grec.

Phidias est un sculpteur renommé lorsque Périclès prend, en 449, le pouvoir à Athènes et le charge des travaux d'embellissement de la ville. Au Parthénon, le temple de l'Acropole consacré à Athéna, déesse protectrice de la cité, Phidias met en place un vaste programme de sculptures en bas relief. Maîtrisant à la perfection l'anatomie des corps, il confère à l'œuvre un puissant souffle de vie et définit les canons de la beauté idéale, symbole de l'art classique grec. Phidias réalise aussi de colossales statues d'or et d'ivoire (disparues) : une *Athéna Parthénos*, destinée à l'Acropole, et un Zeus ornant le site d'Olympie, considéré comme l'une des Sept Merveilles du monde.

L'Athéna Parthénos n'est connue que par de petites copies romaines, plus ou moins fidèles. Casquée et armée de son bouclier, la déesse de la Guerre tient dans la main droite une statuette de la déesse de la Victoire, Niké... d'où une célèbre marque de chaussures de sport tire son nom !

Cette peinture du XIXe siècle est une **reconstitution** imaginaire – faute d'archives conservées ! – de l'atelier de Phidias : au milieu de modèles nus prêts à poser, des visiteurs vêtus à la grecque sont venus admirer son *Athéna Parthénos*.

PHIDIAS

Dates :
v. 490-430 av. J.-C.

Nationalité : grecque

Activités : sculpteur, architecte et peintre

Signe particulier : ami de Périclès

Les sculptures de l'Antiquité grecque inspirent les peintres de la Renaissance dès **1453**. →

03

DES PORTRAITS POUR L'ÉTERNITÉ

Réalisés en Égypte romaine pour conserver une image des défunts après leur mort, les « portraits de momie » sont bel et bien les plus anciens portraits peints parvenus jusqu'à nous !

À la mort de Cléopâtre, en 30 av. J.-C., l'Égypte devient une province de l'Empire romain, mais l'héritage de la civilisation égyptienne ne disparaît pas d'un coup : ses pratiques funéraires, notamment, séduisent les Romains, qui découvrent dans la momification le moyen de gagner l'éternité. À la place des masques d'or ou de stuc qui accompagnaient les momies égyptiennes, les Romains inventent le « portrait de momie », peint le plus souvent sur une planchette de bois, du vivant de la personne et grandeur nature. À sa mort, l'image est placée sur sa momie, avant que celle-ci n'entreprenne son voyage vers le royaume d'Osiris. C'est en quelque sorte l'ancêtre de la photo d'identité sur nos passeports !

Comme tous les **portraits funéraires** de l'Égypte romaine, cette jeune femme aux grands yeux noirs, peinte au Ier siècle apr. J.-C., fascine par sa présence, comme si elle était encore vivante.

Les quelque 800 « portraits de momie » parvenus jusqu'à nous constituent toute une **société** – soldats, marchands, athlètes et belles élégantes exhibant leurs bijoux – qui se donne à voir, au-delà de la mort.

Ces « portraits de momie » sont appelés **« portraits du Fayoum »**, car la plupart ont été découverts en 1888 dans la province du Fayoum, une région fertile située autour d'un grand lac, à une centaine de kilomètres au sud-ouest du Caire.

ROUGE... POMPÉIEN !

S'il n'existe plus d'exemple de peintures produites dans la Grèce antique, les décors peints dans l'Antiquité romaine, eux, sont bien connus, grâce aux fresques de Pompéi.

Les riches habitants romains aimaient décorer leur demeure : des pièces entières étaient couvertes de fresques, à l'image de celles de la villa des Mystères, à Pompéi. Ce décor, qui court en continu tout autour de la pièce, est l'un des chefs-d'œuvre de la peinture du Iᵉʳ siècle. Il est dédié au culte de Dionysos, dieu grec de la Vigne et du Vin, adopté par les Romains sous le nom de Bacchus. Les personnages, figurés presque grandeur nature, sont peints sur un beau fond rouge, si typique des décors de Pompéi que cette couleur a pris le nom de... rouge pompéien !

Le 24 août 79, une éruption du Vésuve ensevelit la petite colonie romaine de Pompéi sous une couche de cendres et de pierres de six mètres d'épaisseur ! 1 600 ans plus tard, des archéologues commencent à dégager la cité, qui livre alors d'extraordinaires décors peints, en grande partie préservés.

Réalisé à partir de cinabre, un sulfure de mercure importé d'Espagne, le **rouge pompéien** coûtait très cher : sa présence témoigne donc de la richesse des propriétaires de la villa.

Ce détail montre une femme ① allaitant une chèvre, tandis qu'une autre ② a l'air effrayé, peut-être à la vue de Silène ③, le père adoptif de Dionysos, qui est en train de faire boire deux satyres ④ et ⑤.

Les couleurs étaient mélangées dans une solution de chaux et de savon, additionnée de cire ; une fois peint, le décor était poli avec un cylindre de marbre ou de verre puis lustré avec un linge.

FRESQUE DE LA VILLA DES MYSTÈRES

Date : milieu du Iᵉʳ siècle av. J.-C.

Technique : fresque

Lieu de conservation : Pompéi, en Campanie (Italie)

Au Moyen Âge, les fresques des églises ont un but décoratif mais surtout **pédagogique**.

DES HISTOIRES À REGARDER

Au Moyen Âge, l'art se met au service de la religion chrétienne, et devient un formidable outil d'éducation des fidèles en leur donnant à voir ce qu'ils ne savent pas lire.

Aux XIIᵉ et XIIIᵉ siècles, des églises se construisent un peu partout en Occident, afin d'assurer le rayonnement du christianisme. Sculptures et peintures partent à l'assaut des façades et des voûtes de pierre. Les églises deviennent de véritables livres d'images consacrés aux épisodes de la Bible. Puisque la plupart des fidèles et des pèlerins ne savent pas lire, il s'agit de les éduquer, par l'image, aux forces du bien - illustrées par les épisodes de la vie de Jésus - et à celles du mal - figurées par tout un monde de démons et de maléfices. Grâce à ces images, les fidèles peuvent réfléchir à leur comportement sur Terre, et éprouver leur foi en Dieu.

Deux des chapiteaux de l'église Saint-Lazare d'Autun : l'un évoque le droit chemin à suivre, l'autre... le mauvais.

1. La première tentation du Christ dans le désert
Au diable qui lui demande de changer les pierres en pains, le Christ répond : « Ce n'est pas seulement de pain que l'homme doit vivre. »

2. La chute de Simon le Magicien
Simon le Magicien n'aurait pas dû proposer à saint Pierre de lui acheter son pouvoir de faire des miracles : le voici en train de chuter tête la première ! Son complice, le diable, serre les dents, l'air un peu penaud : ses pattes sont aussi longues que l'immense clef de saint Pierre... c'est la clef du paradis, auquel Simon n'accédera pas.

Le retable de Memling, ouvert, montre aux fidèles ce qui les attend après la mort. → 09

06

OEUF, PLOMB, PEAUX DE VEAU ET DE MOUTON

Trois grandes techniques s'épanouissent au Moyen Âge : la fresque sur les murs et aux plafonds des églises, le vitrail aux fenêtres des cathédrales, la miniature dans les livres.

Aux XIᵉ et XIIᵉ siècles, la peinture à fresque permet d'orner les églises de peintures monumentales illustrant les histoires de la Bible et des saints. À la fin du XIIᵉ siècle et au XIIIᵉ, les vastes fenêtres des cathédrales gothiques éliminent peu à peu les fresques au profit de la peinture… sur verre ! L'enluminure, elle, permet à l'heure où l'imprimerie n'existe pas encore d'orner les livres - destinés à de rares privilégiés - d'images peintes à la main, une à une.

La fresque

Le mot fresque vient de l'italien *fresco*, qui signifie « frais ». Pour recevoir la peinture, les murs doivent être enduits d'un mortier frais qui, en séchant, absorbe les couleurs et les fixe ainsi sur la paroi.

TECHNIQUE DE LA FRESQUE

1. Sur un papier épais, l'artiste fait un dessin du décor, dont les contours sont ensuite perforés.

2. Le mur à peindre est divisé en zones, correspondant chacune à une journée de travail.

3. Des apprentis aspergent le mur d'eau, puis le recouvrent d'un crépi de sable.

4. Ils appliquent l'enduit composé de 2/3 de sable fin ou de poudre de marbre et de 1/3 de chaux.

5. Positionné sur le mur, le papier est tamponné avec un charbon : le dessin apparaît en pointillé.

6. L'artiste n'a plus qu'à peindre, une zone chaque jour ; il travaille vite pour que l'enduit ne sèche pas !

Les fresques médiévales sont héritées de celles de l'Antiquité romaine, à l'image de celles retrouvées

u Moyen Âge, la **technique**
u vitrail associe le verre
: le plomb : du verre plan,
une épaisseur variant
tre 1,5 mm et 5 mm, et
es baguettes de plomb
n forme de H couché.

e vitrail

e maître verrier commence par étudier la configuration
u lieu où ses vitraux prendront place : son orientation
ar rapport au soleil, ses conditions d'éclairement. Car
élément le plus important d'un vitrail est la lumière qui s'y
eflète : sans elle, aucun vitrail n'est lisible. Ensuite, il décide
vec les autorités religieuses des scènes à représenter.

Grâce aux vitraux, les cathédrales se transforment
n architecture de lumière, symbole de la présence divine.
ans la cathédrale de Chartres, par exemple, les vitraux
ccupent au total une superficie de 2 600 m² ! C'est l'ensemble
e plus complet et le plus beau de tout l'Occident chrétien.

ÉTAPES DE FABRICATION

1. Réaliser un dessin à l'échelle 1/10, détaillant formes et couleurs.
2. Reporter le tracé à l'échelle 1/1 (grandeur nature !) sur un papier, puis sur un calque.
3. À l'aide du calque, découper des morceaux de verre, avec un diamant ou une pointe de métal rougie au feu.
4. Appliquer directement les couleurs sur le verre.
5. Chauffer le verre, entre 700 et 800°C, pour fixer la peinture.
6. Sertir chaque morceau de verre d'une baguette de plomb.
7. Souder entre eux les morceaux, en fondant un peu d'étain aux intersections.
8. Mettre le vitrail en place, souvent à 20 ou 30 m de hauteur ! Et pour s'assurer qu'il tienne bien, le renforcer par des barres métalliques, nommées vergettes.

'enluminure

es livres sont écrits à la main par des moines copistes,
ui, feuillet après feuillet, recopient les textes.
es enluminures servent à les illustrer, sous forme soit
e lettrines qui permettent de repérer chapitres ou
aragraphes, soit d'images dans les marges ou en pleine
age. Les enluminures sont aussi appelées « miniatures ».
e terme, ici, ne veut pas dire « petit » : il vient
'une couleur souvent utilisée : le rouge de minium,
btenue par oxydation du plomb.

ES MATÉRIAUX DE L'ENLUMINEUR

• de la peau de mouton, dit parchemin, ou de la peau
de veau mort-né, dit vélin
• les couleurs, obtenues à partir de matières végétales,
animales et minérales : fleur de safran, racine de garance
et de curcuma, cochenilles, coquillages, foies d'animaux, urine…
• des liants et des colles pour faire adhérer la couleur
au parchemin : colles de poissons, blanc d'œuf (additionné
de poudre de clou de girofle pour la conservation), gomme arabique
• une plume d'oiseau ou un très fin pinceau

Les couleurs se mélangeant mal, l'enlumineur travaille « ton sur ton » après séchage, et joue avec les liants pour obtenir des nuances.

dans **la villa des Mystères** à Pompéi, dans le sud de l'Italie. → 04

07

UNE NOUVELLE MANIÈRE DE PEINDRE

À la fin du XIIIe siècle, Giotto est le premier artiste italien à délaisser les règles traditionnelles et à inventer une manière plus vivante de peindre les scènes religieuses.

En 1297, Giotto crée la surprise dans la basilique d'Assise où il réalise les fresques consacrées à la vie de saint François : il abandonne les normes de la tradition byzantine en peignant des personnages aux attitudes naturelles et en les installant dans des paysages réalistes. Le voici appelé à Rome par le neveu du pape Boniface VIII, qui lui confie plusieurs peintures pour des églises de la ville. Sa réputation faite, Giotto se rend à Padoue où Enrico Scrovegni, un riche notable, lui demande de décorer la chapelle qu'il vient d'acquérir : Giotto y peint une fresque de 53 scènes de la *Vie de la Vierge et du Christ*, pleines de vie et d'humanité, considérées comme son chef-d'œuvre !

En 1334, Giotto est nommé par la ville de Florence architecte en chef de la cathédrale **Santa Maria del Fiore.** Il en réalise le campanile, une tour carrée, haute de 84 mètres, pleine d'élégance et de légèreté avec ses colonnettes de marbre.

Un talent repéré
On raconte que Giotto, enfant, gardait les chèvres de son père quand, un jour, le peintre Cimabue le surprend à dessiner sur une pierre avec un morceau de charbon ; émerveillé, celui-ci décide de le former dans son atelier.

Dans *La Fuite en Égypte,* l'une des scènes de la chapelle Scrovegni, les personnages se parlent entre eux et ressemblent davantage à des êtres humains qu'à des saints ; Giotto a notamment donné une attitude naturelle à l'Enfant Jésus et à l'ange qui guide l'exil de la Sainte Famille... sans compter l'œil vif de l'âne !

GIOTTO DI BONDONE

Dates : 1266-1337

Nationalité : italienne

Activités : peintre, architecte et sculpteur

Signe particulier : ami du poète Dante

On doit le décor de la chapelle Scrovegni au riche **commanditaire** Enrico Scrovegni. →

08 DES IMAGES DIVINES

À partir du Moyen Âge, les scènes religieuses occupent une grande place dans la peinture, le clergé passant d'importantes commandes aux artistes pour orner églises et couvents.

Ces peintures ont une double fonction : émouvoir les fidèles et leur enseigner la vénération de Dieu. On représente surtout la Vierge et l'Enfant Jésus – sur un fond doré qui symbolise l'espace divin – et la vie des saints, morts pour leur foi. À partir du XVᵉ siècle, de nouveaux sujets apparaissent, liés à la vie du Christ : l'Annonciation, où l'ange Gabriel annonce à Marie qu'elle va mettre au monde le fils de Dieu ; l'Adoration, où les mages viennent célébrer la naissance de Jésus ; les miracles accomplis par le Christ et ses apôtres, sa Crucifixion... De vrais paysages occupent le fond des scènes, les figures sont de plus en plus humaines. Au XVIIᵉ siècle, les commandes de l'Église se renforcent et se poursuivront jusqu'au XIXᵉ.

Deux Vierge à l'Enfant : l'une peinte sur un vitrail, l'autre sur un panneau de bois et sur un fond doré.

Deux jolis anges : l'un aux ailes subtilement colorées, l'autre en bois doré, dans un gracieux mouvement !

Ce genre religieux atteint son apogée avec la voûte de la **chapelle Sixtine**. →

09

DES PANNEAUX PÉDAGOGIQUES !

Ce *Jugement dernier* est un exemple des retables peints à la fin du Moyen Âge, composés de plusieurs panneaux et destinés à servir à la prière collective, dans les églises.

Placé au-dessus de l'autel où se dit la messe, un retable est souvent de grand format, pour être vu de loin. Car, si les fidèles ne savent pas lire, ils comprennent le contenu des images peintes. Souvent composé en triptyque – en trois volets –, un retable reste fermé une partie de l'année. Les volets ne sont ouverts qu'à

l'occasion des fêtes religieuses, révélant alors des scènes destinées à frapper les esprits, comme celles du Jugement dernier, ce jour où Dieu jugera les morts de leurs actions sur Terre. Il s'agit de rappeler aux fidèles leur condition de mortels et les risques encourus s'ils ne se tournent pas vers Dieu.

Un Flamand pour un Italien
Ce *Jugement dernier*, peint par le Flamand Hans Memling au début de sa carrière, illustre les rapports que les princes de Florence, en quête de nouveaux talents, entretiennent alors avec l'Europe du Nord. Memling l'a en effet réalisé à la demande de l'Italien Angelo Tani, banquier de la puissante famille des Médicis.

PANNEAUX FERMÉS

Angelo Tani et son épouse Caterina, les commanditaires de ce tryptique, sont représentés au verso des volets latéraux : sur celui de gauche, le banquier est en prière face à une statue de saint Michel ; sur celui de droite, sa femme est agenouillée face une statue de la Vierge à l'Enfant.

LE JUGEMENT DERNIER

Peint par : Hans Memling (Flamand, v. 1433-1494)

Dates : v. 1467-1471

Technique : huile sur bois

Dimensions :
panneau central :
221 x 161 cm
panneaux latéraux :
223,5 x 72,5 cm

Lieu de conservation :
musée Narodowe,
à Gdansk (Pologne)

La taille imposante de cette œuvre n'est rien comparée à certaines peintures contemporaines comme *Tan Tan*

PANNEAUX OUVERTS

Le Christ en majesté trône sur un arc-en-ciel, symbole de la réconciliation entre Dieu et les hommes.

Fleur de lys, symbole de miséricorde

Épée, symbole de justice

Saint Pierre accueille au paradis les élus, auxquels des anges distribuent des vêtements. La procession monte les marches d'un escalier en cristal, accueillie, en haut, par des anges musiciens.

Saint Michel est en train de peser les âmes des morts : les élus montent au ciel, sur le volet de gauche ; les damnés chutent en enfer, sur celui de droite.

Les corps des damnés sont précipités dans les flammes rougeoyantes de l'enfer, pour être torturés par toutes sortes de démons hybrides.

Memling s'est inspiré d'autres Jugements derniers peints à son époque. Mais son sens des détails rend le message de son retable plus frappant que d'autres.

Une œuvre piratée
Rares sont les retables conservés entiers, et celui-ci l'a échappé belle ! En 1473, il est embarqué à bord du *Matteo*, qui effectue pour le compte des Médicis la liaison Bruges-Pise-Constantinople. En route vers Pise, le bateau est attaqué par... un pirate de Dantzig ! Angelo Tani ne récupéra jamais son bien, mais le pirate l'offrit à la cathédrale de sa ville...

10

L'IMPRESSION DE PROFONDEUR

Vers 1425, quelques artistes italiens commencent à se servir des lois de la perspective pour recréer dans leurs peintures l'illusion de la profondeur...

Sans la perspective, impossible de traduire sur une surface plane en deux dimensions - hauteur et largeur - la troisième dimension qu'est la profondeur. Pour créer cette impression, les peintres ont utilisé une découverte faite vers 1415 par l'architecte italien Brunelleschi : en se servant de miroirs, il comprend qu'une image possède un point de fuite vers lequel toutes les lignes droites convergent. C'est lui qui donne l'illusion de la profondeur. On appelle ce principe la perspective linéaire. Reste au peintre à bien comprendre la géométrie ! C'est l'un des élèves de Brunelleschi, le peintre Masaccio, qui sera l'un des tout premiers à savoir maîtriser la perspective.

On peut aussi obtenir un effet de profondeur par un dégradé de teintes allant du plus sombre au plus clair : on parle alors de **perspective aérienne.**

Dans cette scène de la *Vie de saint Pierre*, peinte vers 1425, la perspective est maîtrisée : toutes les projections orthogonales convergent en effet en un unique **point de fuite** ①. Elle est due à Masaccio, alors que les personnages ont été peints par l'un de ses collaborateurs.

« *[Il faut] qu'un peintre soit instruit, autant que possible dans tous les arts, mais [...] surtout qu'il possède bien la géométrie.* »
Alberti

Picasso abolit les règles de la perspective dans *Les Demoiselles d'Avignon*. →

11

LE PROTECTEUR DES ARTS

**Te voici mécène au temps de la Renaissance.
Grâce à ton influence et à ta fortune, tu vas pouvoir soutenir
de nombreux artistes. À toi de choisir les meilleurs !**

Fils de l'un des plus puissants princes d'Italie, grand protecteur des arts, tu as appris, dès ton plus jeune âge, à apprécier les œuvres de ses collections. À 18 ans, c'est désormais à toi de répandre tes bienfaits envers les artistes. Il te faut bien choisir les peintres, les sculpteurs et les architectes auxquels tu vas passer des commandes : ils doivent avoir du talent, mais c'est encore mieux s'ils ont du génie ! N'hésite pas à engager des conseillers qui vont parcourir le pays à la recherche de ces artistes d'exception. En les prenant sous ta protection, tu vas non seulement assurer leur renommée, mais aussi la tienne. Car c'est toi qui auras permis l'épanouissement de leur génie. Ta réputation sera alors immense : celle du plus grand mécène de tous les temps.

Colle ici ta photo

Être mécène consistant à financer des commandes d'œuvres d'art, on parle aussi de **commanditaire**.

es plus grands mécènes e la Renaissance italienne ont le banquier Cosme e **Médicis** et son petit-fils aurent, dit le Magnifique. Grand protecteur de Léonard de Vinci, Botticelli t Michel-Ange, celui-ci ait de Florence, au XVe siècle, a capitale des arts.

le mécène

★ **Mission** : soutenir financièrement les artistes
★ **Dons** : générosité, passion de l'art
★ **Pouvoir** : faire la renommée d'un artiste
★ **Lieu** : palais
★ **Risque** : se faire doubler par un autre mécène

Aux XVe-XVIe siècles, **rois, princes et papes** rivalisent en matière de mécénat : l'archiduc d'Autriche Rodolphe II fait d'Arcimboldo son peintre officiel, le pape Jules II commande à Michel-Ange les fresques de la chapelle Sixtine, le roi François Ier accueille Léonard de Vinci en France.

La plus célèbre des commanditaires de **Vigée-Lebrun** est la reine Marie-Antoinette. → 28

12

UNE ÈRE NOUVELLE

En 1453, la chute de l'Empire byzantin marque la fin du Moyen Âge... et le début de la Renaissance, l'une des périodes les plus brillantes et dynamiques de l'histoire de l'humanité !

Bien sûr, personne ne s'est réveillé un matin en s'exclamant : « Le Moyen Âge est terminé, vive la Renaissance ! » La transition s'est faite de manière fluide, d'abord en Italie et plus particulièrement à Florence dans les années 1450, avec une profonde remise en question de l'héritage médiéval où la religion guidait les hommes.

L'homme et la connaissance

À la chute de Constantinople, des savants byzantins se réfugient à Florence, apportant avec eux les textes des grands auteurs grecs. Les Italiens découvrent alors les valeurs philosophiques de l'Antiquité, qu'ils font « renaître » en plaçant l'homme et la nature au centre de leurs préoccupations. C'est ce qu'on appelle « l'humanisme », qui mêle soif de connaissances, esprit de tolérance et liberté. Dans le même temps, l'invention de l'imprimerie facilite la diffusion des livres et des idées, et l'exploration de nouveaux continents - l'Amérique et l'Asie - entraîne un formidable essor de la navigation et du commerce.

La beauté idéale

Ces progrès matériels transforment profondément les mentalités. Les princes d'Italie font des arts le principal instrument de leur puissance. Ils deviennent de grands mécènes auprès des artistes. Ceux-ci, dans leur quête de savoir, diversifient leurs talents, s'affirmant tout à la fois architectes, peintres, sculpteurs, auteurs de traités. Ils mettent en place un nouveau vocabulaire, basé sur les lois de la perspective... et sur la beauté idéale ! Les humanistes considèrent en effet que l'idéal de la beauté a été atteint par les sculpteurs de la Grèce et de la Rome antiques. Retrouvées pour certaines dans le sol de l'Italie, ces sculptures deviennent des modèles et des références pour toutes les nouvelles créations. De Florence, l'esprit de la Renaissance gagne Rome, Venise et Parme, puis se répand en Europe jusque vers 1560, et notamment en France, sous François Ier.

1453

Les idées de la Renaissance italienne se propagent dans tout le nord de l'Europe, notamment en Hollande

Cette fresque, peinte par Raphaël et intitulée *L'École d'Athènes* (1510), est un véritable résumé de la Renaissance. Vêtus à l'antique, les personnages, tous philosophes, mathématiciens et savants, discutent entre eux. Raphaël a placé au centre les deux plus grands philosophes de l'Antiquité : Platon ①, sous les traits de Léonard de Vinci – symbole du « génie créateur » –, désigne le ciel, pendant qu'Aristote ② montre la terre.

Raphaël célèbre ici la grandeur de l'homme qui, grâce à ses connaissances, peut atteindre la perfection.

Lorsque des paysans sortent de terre cette sculpture un matin de janvier 1506, la nouvelle fait sensation à Rome : on vient de découvrir **la statue de Laocoon**, réalisée à Rhodes (Grèce) au Ier siècle av. J.-C., celle que Pline l'Ancien considérait comme « la plus digne de toutes les sculptures » ! Le pape Jules II s'en porte aussitôt acquéreur et la fait installer dans la cour de son palais.

La sculpture représente le supplice du prêtre Laocoon, qui, s'étant attiré la colère du dieu Apollon, meurt étouffé par des serpents avec ses deux fils.

Au XVe siècle, les artistes majeurs de la Renaissance italienne sont Masaccio, Paolo Uccello, Fra Angelico et **Sandro Botticelli** (dont *Le Printemps* est ici reproduit). Au XVIe siècle, les plus grands sont Léonard de Vinci, Michel-Ange et Raphaël, qui tous trois se partagent entre Florence et Rome.

dont l'âge d'or de la peinture débute en **1581**.

13

UN GÉNIE UNIVERSEL

Léonard de Vinci, qui exerça son talent dans tous les domaines de la connaissance humaine, est le symbole même de la Renaissance, et l'un des plus grands génies de tous les temps.

À vingt ans, Léonard de Vinci est officiellement peintre. Mais cela ne lui suffit pas car il veut tout connaître des mystères de la nature. Il étudie les mathématiques, l'optique et l'acoustique, s'adonne à la botanique, à la géologie et à l'astronomie... Doté d'une puissance de travail surhumaine, il se passionne encore pour le vol des oiseaux et l'anatomie du corps humain. Fou de technologie, il invente un principe de pont transportable à dos d'homme, un système pour respirer sous l'eau, et même une recette de lessive ! « Le peintre doit s'efforcer d'être universel », disait cet inventeur de génie.

Venise, Milan, Mantoue, Rome, Florence : Vinci n'a cessé de parcourir l'Italie au gré des commandes de ses protecteurs. En 1516, il fait un dernier voyage, en France cette fois : François Iᵉʳ l'installe près d'Amboise et le nomme « premier peintre du roi de France ».

Fasciné par l'idée de voler, Vinci invente – avec quatre siècles d'avance – la « **vis aérienne** », une machine volante dont le principe n'est autre que celui de l'hélicoptère !

LÉONARD DE VINCI

Dates : 1452-1519

Nationalité : italienne

Activités : peintre, sculpteur, ingénieur, musicien et théoricien de l'art

Signe particulier : gaucher

Pour peindre *La Joconde*, Vinci a utilisé un procédé bien à lui : le *sfumato*, qui consiste à superposer de très fines couches de peinture pour modeler les formes « sans lignes ni contours, à la façon de la fumée ». D'où l'effet de léger flou de la jeune femme, qui lui donne cet air presque vivant.

La Joconde de Léonard de Vinci est le **portrait** le plus connu au monde.   → 32

14 UN STATUT NOUVEAU

Tu as de la chance d'être artiste, car ce statut existe depuis peu. À toi la liberté de créer comme tu l'entends... enfin presque, car tu ne seras reconnu que si tes œuvres plaisent !

Depuis des générations, les hommes de ta famille sont artistes... enfin, disons artisans car, au Moyen Âge, peintres et sculpteurs étaient considérés comme de simples artisans. Leurs réalisations étaient le plus souvent collectives : la technique de chacun comptait davantage que son style... Toi, tu as la chance d'être né au XVIe siècle, en pleine Renaissance : l'individu étant devenu un centre d'intérêt majeur, peintres et sculpteurs y gagnent le statut de créateur, d'artiste ! Ils peuvent signer leurs œuvres et inventer une manière bien à eux. Mais attention : il ne suffit pas de faire nouveau, il faut encore que l'on apprécie ton style ! À toi d'allier avec talent formes et couleurs. Et n'oublie pas : tes œuvres doivent émouvoir !

Les artistes de la Renaissance italienne, eux, ont réalisé assez peu d'autoportraits, mais il leur est arrivé de prêter leurs traits à l'un des personnages de leurs tableaux religieux.

Colle ici ta photo

En même temps que le statut d'artiste, un genre nouveau apparaît à la Renaissance : **l'autoportrait**. Le peintre allemand Albrecht Dürer est l'un des premiers à se représenter lui-même, et à signer ses œuvres.

l'artiste

★ **Mission** : créer des œuvres d'art
★ **Don** : avoir du talent
★ **Pouvoirs** : imposer un style, créer un mouvement
★ **Lieu** : atelier
★ **Risque** : rester inconnu

L'artiste peint dans des ateliers où de nombreux **modèles** posent pour lui.

L'ÉCLAT ET LA LÉGÈRETÉ !

À la Renaissance, deux innovations majeures apparaissent : la peinture à l'huile et la peinture sur toile. Elles sont rapidement adoptées dans toute l'Europe... pour très longtemps !

L'inventeur de la recette de la peinture à l'huile, qui permet d'obtenir des couleurs lisses et brillantes, n'est pas connu. On sait, en revanche, que le Flamand Jan Van Eyck est le premier peintre du XVe siècle à l'avoir utilisée. Séchant lentement, la peinture à l'huile permet les retouches les plus subtiles. La superposition de fines couches, nommées glacis, donnent aux couleurs de la transparence, et au tableau un éclat sans précédent ! Quant aux lourdes planches de bois jusque-là utilisées, les voici remplacées, d'abord en Italie, par de la toile : un bon moyen pour que le tableau gagne en légèreté !

Assis devant son **chevalet**, le peintre travaille les détails de son tableau aussi longuement que nécessaire. Pour ne pas fatiguer sa main qui tient le pinceau, il l'appuie sur un bâton.

RECETTE DE LA PEINTURE À L'HUILE :

1. Réduire le pigment de couleur en poudre, à l'aide d'un pilon.

2. Verser sur la poudre l'huile, obtenue en broyant les graines de lin dans un moulin.

3. Malaxer longuement le mélange, en faisant un mouvement en forme de huit.

4. Ramasser la pâte obtenue avec un couteau et la mettre dans un récipient.

5. Répéter l'opération pour chacune des couleurs.

Généralement de lin ou de chanvre, la **toile** est tendue et fixée sur un cadre de bois, le **châssis**, puis recouverte d'une couche d'enduit permettant à la peinture à l'huile de mieux accrocher.

À la différence du bois, la toile ne se fend pas quand la température varie et, pour la transporter, il suffit de la déclouer du châssis et de la rouler !

Peindre à l'huile et sur toile va demeurer la technique utilisée par tous les peintres, jusqu'au début du XXe siècle.

C'est grâce à la peinture à l'huile que **Léonard de Vinci** invente le *sfumato*. →

16 LES DIEUX REVISITÉS

En s'inspirant des récits légendaires de l'Antiquité, de nombreux peintres ont donné vie aux dieux et aux héros de la mythologie grecque et romaine... La vie et un visage !

Hercule et ses douze travaux, Achille et son talon, Œdipe et l'énigme du Sphinx, Ulysse et l'appel des sirènes, les Centaures et leur combat, Vénus sortant des eaux, Dédale et le Minotaure, Icare et son envie de voler, Apollon sur son char, et bien d'autres... Tous, dieux, déesses, et héros ont été, au fil des siècles, mis en scène par les artistes.

À commencer par les peintres de la Renaissance, qui y voient l'occasion de représenter ces dieux à l'image des hommes, avec leurs disputes, leurs combats et leurs histoires d'amour ! Et dans leur nudité, afin de révéler la beauté et la perfection du corps humain.

« Qui a d'abord quatre jambes, puis deux, et enfin trois ? » : seul Œdipe trouve la réponse à cette célèbre énigme du **Sphinx**. C'est l'homme qui, bébé, se déplace à quatre pattes, adulte, marche sur ses deux jambes, et vieux, s'aide d'une canne !

Voici **Vénus**, déesse de l'Amour, sortant des eaux. Pour Botticelli (1445-1510), son apparition symbolise la beauté et la grâce. Il l'a peinte nue, avant que la déesse du Printemps ne la couvre d'un manteau fleuri.

Après **1863**, plus besoin de sujets mythologiques pour peindre des femmes nues. →

17

UN CHANTIER TITANESQUE

Bien qu'il accepte contre son gré le chantier de la chapelle Sixtine, Michel-Ange y réalise l'un des chefs-d'œuvre de la Renaissance italienne, qui lui vaut une gloire universelle.

Quatre ans à vingt mètres de haut !
Le sculpteur Michel-Ange ne connaît rien à la fresque mais il relève le défi et décide de s'y atteler, seul. En mai 1508 commence pour lui un travail de titan : 1 000 m² à couvrir de 300 figures, le tout sur un échafaudage à vingt mètres de haut ! Le chantier va durer quatre ans, quatre ans de lutte acharnée, entre découragement et souffrances physiques, le bras tendu et le cou tordu, les yeux infectés par les coulures de peinture...

Une fresque à couper le souffle
En octobre 1512, pressé par le pape Jules II, Michel-Ange dévoile enfin sa fresque : sur toute la longueur de la voûte, rythmée de colossales figures et d'éléments d'architecture peints en trompe l'œil, se déroulent neuf épisodes de la Genèse, qui raconte la Création du monde par Dieu. Le grouillement des figures illustre la destinée de l'humanité, dominée par la puissance de Dieu. Sculpteur avant tout, l'artiste a su exploiter le pouvoir expressif des corps, montrés dans toute leur nudité ! Pour lui et les humanistes de son temps, la beauté idéale permet d'accéder au divin par le plaisir visuel qu'elle suscite. Michel-Ange est sorti vainqueur de l'épreuve, livrant une œuvre grandiose à la gloire du corps humain.

La puissance divine culmine au centre dans la célèbre scène de la **Création**, où Dieu s'apprête à animer Adam de l'étincelle de la vie.

Construite au **Vatican** vers 1480, la chapelle Sixtine est une salle rectangulaire du palais pontifical, qui accueille les cérémonies importantes de l'Église catholique, dont l'élection des nouveaux papes.

De 1981 à 1989, la chapelle Sixtine a bénéficié d'une grande opération de **restauration**, qui a rendu aux couleurs – très assombries par la fumée des encens, la suie des chandelles et la pollution extérieure – leur vivacité d'origine.

Les corps sculpturaux peints par Michel-Ange sont largement inspirés des statues grecques comme

Les neuf épisodes de la Genèse se lisent de gauche à droite : à Dieu séparant la lumière des ténèbres succèdent cinq scènes de la Création, dont le péché originel et l'expulsion du paradis, et trois scènes de l'histoire de Noé.

La corniche est rythmée de monumentales figures assises sur un trône, représentant les prophètes et les sibylles, chargés d'annoncer la venue du Messie et de rappeler aux hommes que Dieu ne les a pas abandonnés.

Chaque scène centrale est flanquée de deux couples d'athlètes dont l'entière nudité ne manqua pas de choquer l'Église catholique, qui se plia toutefois au choix de Michel-Ange.

VOÛTE DE LA CHAPELLE SIXTINE

Peint par : Michel-Ange (Italien, 1475-1564)

Dates : 1508-1512

Technique : fresque

Lieu de conservation : chapelle Sixtine, cité du Vatican

celles sculptées par **Phidias.**

BRUEGEL L'ANCIEN, DIT PIETER LE DRÔLE

Le peintre flamand Pieter Bruegel a laissé une œuvre pleine de vie et d'humanité, qui en fait le plus grand représentant de la Renaissance dans le nord de l'Europe.

Bruegel est le premier peintre à avoir placé le monde paysan au centre de son œuvre. Qu'il peigne les travaux des champs ou les jeux des enfants, des scènes de kermesse ou les affrontements religieux de son temps, ce sont toujours des paysans qui peuplent ses tableaux. Il les représente tels qu'ils sont, sans caricature ni flatterie, à travers leurs occupations quotidiennes et leurs divertissements joyeux. Ses tableaux fourmillent de détails amusants, d'où son surnom de Pieter le Drôle. Car Bruegel n'oublie pas de dépeindre les petites et grandes faiblesses des hommes, comme l'avarice, la gourmandise, la jalousie, la lâcheté, etc.

On ne sait rien de la **personnalité** de Bruegel, en dehors de cet autoportrait et de ces quelques lignes: « C'était un homme tranquille, sage et discret ; mais, en compagnie, il était amusant et il aimait faire peur à ses apprentis avec des histoires de fantômes et mille autres diableries. »

C'est **repas de noces au village** : dans la grange, on s'active à verser la bière, à servir les assiettes ; un enfant se lèche les doigts avec gourmandise. Le spectateur est projeté dans la scène, par le jeu ingénieux entre les tailles des personnages.

PIETER BRUEGEL

Dates : v. 1525/1530-1569

Nationalité : flamande

Activités : peintre et dessinateur

Signe particulier : père et grand-père de peintres

La dynastie Bruegel
Ses deux fils sont peintres, l'aîné, Pieter le Jeune, copie surtout son père ; le cadet peint des tableaux de fleurs, dont la facture veloutée lui vaut le nom de Jan de Velours. Ses petits-fils seront aussi peintres, mais aucun n'aura son talent.

Le Mariage paysan peint par Bruegel fait partie des **scènes de genre**.

LE SIÈCLE D'OR HOLLANDAIS

En 1581, sept provinces du nord des Pays-Bas, alors sous domination espagnole, proclament leur indépendance sous le nom de Provinces-Unies, une petite République bientôt prospère...

La Hollande, la plus vaste de ces provinces, entre alors dans une période que l'on nomme le Siècle d'Or. Alors que l'Europe est en pleine crise économique, la Hollande, avec sa puissante marine de guerre et ses comptoirs en Amérique et aux Indes, règne sur les mers et le commerce mondial. Cette suprématie s'accompagne d'un essor considérable de la peinture. Enrichis par le commerce, les bourgeois, qui constituent l'essentiel de la société hollandaise, affichent leur réussite en accrochant des tableaux aux murs de leurs maisons. Les commandes affluent auprès des peintres qui, de leur côté, se spécialisent. Le portrait de groupe devient à la mode, et de nouveaux types de tableaux apparaissent : scènes de la vie quotidienne, natures mortes et paysages, tous l'air plus vrais que nature !

s Hollandais aiment portraits de groupe, cêtres des photos classe d'aujourd'hui ! art dans lequel celle Frans Hals 1580-1666), comme montre le portrait ces officiers, si pleins vie qu'ils semblent êts à interpeller le ectateur.

lors que la France et l'Espagne vivent l'heure des persécutions religieuses, a Hollande adopte la **religion protestante** tout en tolérant les libertés ndividuelles. Elle devient le centre ntellectuel de l'Europe, nombre de enseurs et savants s'y réfugiant pour ublier leurs ouvrages, interdits ailleurs.

1581

ge d'or hollandais est aussi la grande époque des **natures mortes**.

20

UN VOYOU, MAÎTRE DU CLAIR-OBSCUR

Pour avoir introduit le réalisme et des effets de clair-obscur dans la peinture religieuse, le Caravage initie tout un courant pictural du XVIIe siècle: le caravagisme.

Dans les années 1595-1605, le Caravage mène à Rome une double vie : celle d'un voyou bagarreur, qui lui vaut de nombreux démêlés avec la police ; celle d'un peintre ambitieux et d'un habile courtisan, dont le style provocateur mais talentueux sait gagner les faveurs des prélats et des princes. Dans ses tableaux religieux, il refuse toute idéalisation des personnages, au nom du réalisme. Qu'il représente la Vierge ou des saints, il recrute ses modèles dans la rue et peint de nuit, pour introduire de puissants effets d'ombre et de lumière, ce fameux clair-obscur qui accentue l'effet théâtral de ses compositions, et que bien des peintres, tel Rembrandt, utiliseront à leur tour.

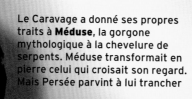

Le Caravage a donné ses propres traits à **Méduse**, la gorgone mythologique à la chevelure de serpents. Méduse transformait en pierre celui qui croisait son regard. Mais Persée parvint à lui trancher la tête. Comme horrifié de lui-même, le Caravage met ici en scène sa propre fin, lui qui, après avoir tué un homme, prit la fuite. On le retrouva, quatre ans plus tard, mort sur une plage…

MICHELANGELO MERISI, DIT LE CARAVAGE

Dates : 1571-1610

Nationalité : italienne

Activité : peintre

Signe particulier : aime la bagarre

Thomas ne croyant pas à la Résurrection du Christ, celui-ci lui propose de toucher ses plaies. Pas de décor, personnages montrés comme de simples hommes : le Caravage réduit la scène à l'action, l'apôtre plongeant son doigt dans la blessure du Christ, en pleine lumière.

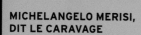

La technique du clair-obscur est reprise par Rembrandt dans *La Ronde de nuit*.   →

21

LA VIE SILENCIEUSE DES OBJETS

Peindre une nature morte, c'est représenter des sujets inanimés : des objets bien sûr, mais aussi des fleurs, des fruits et légumes, ou encore des poissons morts ou du gibier.

La nature morte devient un sujet autonome – on parle de « genre » – au XVIIe siècle, d'abord en Hollande, où les amateurs d'art apprécient les représentations de biens matériels, puis en Espagne, sous le nom de *bodegones* (coins de cuisine). Les objets peints ont alors souvent pour fonction de délivrer un message : la vie sur Terre est éphémère. Ainsi y trouve-t-on des fleurs – si belles soient-elles, elles faneront –, un sablier, symbole du temps qui passe, ou un crâne, image de la mort à venir. La nature morte est aussi l'occasion pour un peintre de prouver son habileté à rendre le velouté d'un pétale ou la transparence d'un verre. Elle reste pourtant considérée comme un genre mineur en France jusqu'au XVIIIe siècle, où Chardin démontre la force expressive des objets les plus modestes.

« *J'aimerais étonner Paris avec une pomme.* »
Paul Cézanne

Les natures mortes où figure un crâne sont appelées des **vanités** : puisque la vie ne dure pas, les biens matériels ne sont que vanité de l'homme.

À la fin du XIXe siècle, Paul Cézanne se sert de **pommes** et de cruches pour agencer dans l'espace des compositions complexes. Au début du XXe siècle, Georges Braque et Pablo Picasso transforment les objets en arrangements cubistes.

Van Gogh est très connu pour ses natures mortes : des fleurs de tournesols. → 44

PEINTRE DU ROI, ROI DES PEINTRES

Appelé à la cour de Philippe IV d'Espagne, Vélasquez devient le seul artiste autorisé à représenter la famille royale. Et le plus grand peintre du Siècle d'Or espagnol.

Vélasquez fait ses débuts à Séville, où il peint des gens simples, dans leur cadre quotidien. Son talent à insuffler la vie à ses personnages dépasse bientôt les limites de sa ville natale. À 24 ans, le voici nommé « peintre du roi » par Philippe IV. Installé à la cour de Madrid, il y mènera toute sa carrière, hormis deux séjours en Italie. Vélasquez réalise de magistraux portraits de la famille royale et des membres de la cour, sans oublier les nains et les bouffons. Jusqu'à sa mort, en 1660, son prestige ne cesse de grandir, le roi le chargeant d'acheter des œuvres pour son compte, de décorer ses palais et d'organiser les fêtes royales.

À sa mort, en 1660, Vélasquez tombe dans l'oubli, ses œuvres demeurant dans les collections royales. En 1819, avec l'ouverture du musée du Prado, son talent est redécouvert. Les artistes soucieux de réalisme l'admirent, tel Manet qui voit en lui le « peintre des peintres ».

En 1656, Vélasquez peint *Les Ménines*. L'artiste s'y met en scène en train de peindre le roi et la reine, dont on découvre le reflet dans le miroir. Il montre ce que le couple voit : l'artiste à son chevalet, à côté la toute jeune princesse Marguerite, entourée de ses demoiselles d'honneur – les ménines.

DIEGO VÉLASQUEZ

Dates : 1599-1660

Nationalité : espagnole

Activité : peintre

Signe particulier : anobli par le roi

Les Ménines ont beaucoup inspiré **Picasso** qui les a revisitées sous tous les angles. →

23

UN TITRE FAUX !

La célèbre *Ronde de nuit* du peintre hollandais Rembrandt figure bien parmi les chefs-d'œuvre de la peinture européenne, mais sous un faux titre !

Le titre exact de *La Ronde de nuit* est *La Compagnie du capitaine Frans Banning Cocq*, du nom de la garde municipale d'Amsterdam qui commanda ce portrait collectif à Rembrandt. Et ce n'est pas une scène de nuit, comme on l'a cru... jusqu'à la restauration du tableau, en 1947. On découvre alors que le vieillissement du vernis avait obscurci la scène et donné l'illusion de la nuit ! En réalité, les hommes de la compagnie sont bel et bien en train de sortir à la lumière du jour. L'œuvre était déjà célèbre et son faux titre est resté.

À demi cachée derrière le porte-drapeau apparaît une tête : il s'agit de **Rembrandt,** reconnaissable à son chapeau, qui s'est amusé à figurer dans ce qu'il considérait lui-même comme son chef-d'œuvre.

Au lieu de représenter les personnages de ce portrait collectif immobiles et en rangs serrés – un peu comme une photo de classe ! – Rembrandt a choisi de les montrer **en mouvement.** Au premier plan, le capitaine et son lieutenant donnent l'impression de marcher vers le spectateur.

LA RONDE DE NUIT

Peint par : Rembrandt (Hollandais, 1606-1669)

Date : 1642

Technique : huile sur toile

Dimensions : 359 x 438 cm

Lieu de conservation : Rijksmuseum, à Amsterdam (Pays-Bas)

Quinze ans après l'exécution du tableau, l'un des personnages représentés a déclaré que certains gardes avaient payé le peintre pour figurer en bonne place dans la composition !

Sur le bas de la veste blanche du lieutenant se détache l'ombre de la main du capitaine : c'est elle qui permet d'affirmer que la scène se déroule bien **de jour !**

Au Rijksmuseum d'Amsterdam, le **public** se presse pour admirer ce tableau. ➔

24

QUAND L'ART EST ROI !

Le 6 mai 1682, Louis XIV s'installe avec sa cour au château de Versailles, dont il fait l'instrument de son pouvoir absolu avec le concours des meilleurs artistes de l'époque.

Louis XIV a vingt-trois ans lorsqu'il lance à Versailles, en 1661, des travaux pour transformer le pavillon de chasse de son père Louis XIII en sa résidence officielle. Siège de son gouvernement, Versailles est un palais à son image, celle du Roi-Soleil, un roi au pouvoir absolu et à la conquête de l'Europe, un roi bâtisseur et protecteur des arts.

L'excellence des artistes

Ayant formé son goût au contact direct des artistes, il s'entoure des plus grands : Louis Le Vau et Jules Hardouin-Mansart pour l'architecture, André Le Nôtre pour les jardins, Charles Le Brun pour la peinture et les décors. Les travaux dureront près de quarante ans, mobilisant des milliers d'hommes, et coûteront l'équivalent de quelque 3 milliards d'euros !

Les jardins, une œuvre colossale

Louis XIV se passionne pour l'aménagement des jardins, aussi important à ses yeux que celui du château : ils doivent prouver qu'il est le maître de la nature. Là où n'existent que bois et marécages s'engage un chantier colossal : travaux de terrassement, d'assèchement et percement d'un grand canal, autour duquel Le Nôtre aménage des parterres bien alignés, agrémentés de bassins à jets d'eau et de larges allées. Il crée ainsi le plus grandiose des jardins « à la française », où règnent l'ordre et la majesté.

Louis XIV aime tant ses jardins qu'il écrit un guide, *Manière de montrer les jardins de Versailles*, avec itinéraire précis et explications. Les jardins de Versailles deviendront ainsi un modèle dans de nombreuses cours d'Europe.

1682

« *Le métier de roi est grand, noble et délicieux.* »
Louis XIV

Le gigantesque chantier du château de Versailles est un fabuleux lieu d'expression pour des **artistes**

Une galerie à sa gloire

À l'intérieur du château, Louis XIV ordonne la création d'un lieu qui symbolise son pouvoir : la galerie des Glaces. Outre son décor de marbre et de bronzes dorés, ses lustres de cristal et ses 357 miroirs, elle renferme un chef-d'œuvre : sa voûte. Charles Le Brun y a peint un véritable programme de propagande politique, à la gloire du roi. Vingt-sept scènes illustrent l'histoire du royaume entre 1661 et 1678. Entouré de dieux antiques et de figures mythologiques, le roi figure au centre en train de « gouverner par lui-même » : le pouvoir, c'est lui et lui seul !

En 1648, la mère de Louis XIV, Anne d'Autriche, fonde en France **l'Académie royale de peinture et de sculpture**. Le roi y voit un excellent moyen de mettre les artistes au service de l'État. En 1663, Charles Le Brun, son « premier peintre », en devient le directeur !

[P]our divertir la [c]our, Louis XIV [do]nne des **fêtes [gr]andioses,** [no]tamment des [co]médies ballets, [qu]'il commande au [co]mpositeur Lully [et] à Molière.

Versailles, 15 mai 1685 : dans la galerie des Glaces, Louis XIV reçoit le doge de Gênes, dans un luxe sans pareil : son **trône est en argent** massif, de même que les vases et les coffres. Un fabuleux trésor que le roi fera fondre en 1689 pour financer les frais de la guerre !

[d]e tous ordres : peintres, sculpteurs, paysagistes, architectes, musiciens, etc.

25

LA MÉDITATION D'UN SAVANT

Comme dans toutes ses œuvres, Vermeer peint avec *Le Géographe* le temps qui s'est arrêté, la lumière qui se promène dans les plis des étoffes, sur un visage...

Compas en main, un géographe vérifie des distances sur une carte. Il a suspendu son geste pour laisser courir son regard vers la fenêtre : songe-t-il aux grandes expéditions maritimes qui ne cessent alors d'accroître la connaissance du monde ? La pièce est éclairée par de subtiles variations de lumière, en fonction des matières qui la reflètent : plis du tapis, papier de la carte, peau du visage, pierre du mur. Ces modulations lumineuses, associées au léger flou de la scène, sont caractéristiques de l'art de Vermeer, et de son talent à créer, de façon quasi photographique, une atmosphère silencieuse et méditative.

Pour obtenir un positionnement précis de la scène à peindre, Vermeer utilise une « chambre noire » (ou *camera obscura*) : une boîte percée d'un trou et munie d'une lentille convexe qui permet d'obtenir une image inversée gauche/droite et haut/bas. Une fois « décalquée » dans le bon sens, l'image lui sert de modèle.

LE GÉOGRAPHE

Peint par : Johannes Vermeer (Hollandais, 1632-1675)

Date : 1669

Technique : huile sur toile

Dimensions : 52 x 45 cm

Lieu de conservation : Städel Museum, à Francfort (Allemagne)

Les **portraits de scientifiques** sont très prisés des Hollandais au XVIIe siècle. Ils symbolisent la force économique du pays, due à son commerce avec des contrées lointaines.

Le principe de la *camera obscura* est l'ancêtre de la photographie, apparue en **1839**. →

UN ART DE PROPAGANDE

L'art a longtemps été au service du pouvoir, en produisant des images – des portraits, des scènes de batailles victorieuses ou de sacre – à la gloire des souverains.

Henri IV, François Iᵉʳ, Philippe IV d'Espagne, Louis XIV, Catherine II de Russie, Napoléon... Tous, rois ou empereurs, ont passé commande à des artistes pour qu'ils mettent en scène, avec faste et éclat, la grandeur de leur pouvoir et de leurs exploits. S'il s'agit d'un portrait, celui-ci est toujours d'un format imposant et son décor théâtral : le monarque y pose avec ses attributs royaux et... en pied, grandeur nature ! On parle de « portrait d'apparat ». Lorsqu'il s'agit d'un roi menant ses armées, celui-ci apparaît toujours au premier plan, l'air victorieux. Ces œuvres sont de véritables outils de propagande : elles contribuent à véhiculer l'image du pouvoir absolu du souverain.

Sur un cheval fougueux, **Bonaparte** se révèle dans toute sa gloire, immense comparé aux quelques soldats à peine esquissés. Il est l'égal des plus grands conquérants, Annibal et Charlemagne, dont les noms sont gravés en latin sur un rocher au premier plan.

Cette image de Bonaparte franchissant les Alpes, pour mener son armée contre les Autrichiens qui ont envahi Milan, est le portrait phare de la propagande napoléonienne. Entre 1800 et 1803, le peintre David n'en réalise pas moins de cinq versions, très proches.

Vélasquez met son art au service de la glorification du roi Philippe IV. → 22

27

IMAGES DE LA VIE QUOTIDIENNE

Une scène de genre est un tableau qui représente un moment de la vie quotidienne : un repas en famille, des enfants en train de jouer, une fête entre amis, un couple d'amoureux...

Le but des scènes de genre, peintes surtout aux XVIIe et XVIIIe siècles, n'est pas de mettre l'accent sur l'identité des personnages mais de les montrer dans leurs occupations.

À la ville et à la campagne

Il s'agit souvent de paysans ou de bourgeois représentés dans leur intérieur. Les uns sont en train de manger ou de compter leur argent ; les femmes font la cuisine, cousent ou lisent une lettre de leur fiancé... D'autres se distraient en jouant aux cartes, en buvant gaiement ou en écoutant de la musique. Les tableaux de genre dépeignent aussi des scènes extérieures, à la ville ou à la campagne : paysans au travail et villageois faisant la fête, patineurs évoluant sur la glace. Les petits métiers des rues – porteurs d'eau, montreurs d'ours ou marchandes de poissons – sont aussi représentés, de même que les grandes fêtes annuelles, comme le carnaval.

Parmi les scènes de genre, on distingue les scènes galantes qui représentent des amoureux en promenade et en habits de satin... Dans **Les Hasards de l'escarpolette**, peint par Fragonard (1732-1806), une jeune femme se balance si haut qu'elle montre le dessous de ses jupes à son amoureux !

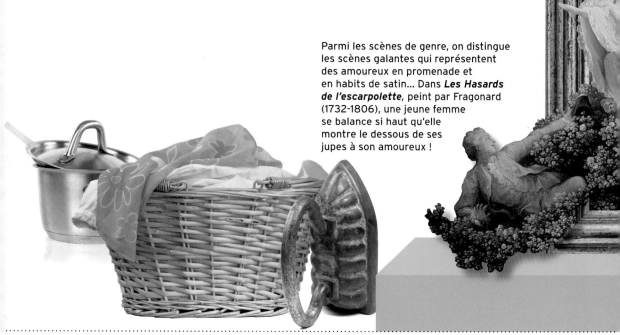

L'invention de la photographie, en **1839**, nuit grandement aux scènes de genre qui ont valeur

De petits formats

Les peintres hollandais sont les premiers, au XVIIe siècle, à peindre ainsi leurs contemporains avec un grand réalisme. Certains se spécialisent même dans ce type de tableaux qui, en Italie et en France, se développent surtout au XVIIIe siècle. Contrairement aux tableaux religieux ou historiques, de grand format, les scènes de genre sont peintes sur des toiles de petite taille : d'une part, on les considérait comme des sujets mineurs ; d'autre part, elles étaient conçues pour décorer les murs des maisons. Aujourd'hui, ce sont de précieux témoignages sur la manière de vivre des gens de l'époque.

À Venise au XVIIIe siècle, le **carnaval** s'étend sur six mois de l'année et rythme la vie quotidienne des habitants qui, nuit et jour, se promènent masqués et costumés. Vénitien, Giandomenico Tiepolo (1727-1804) ne pouvait manquer d'en faire le sujet privilégié de ses scènes de genre.

de témoignage de la vie quotidienne.

28

PORTRAITISTE DE LA REINE

Avant le XXᵉ siècle, les femmes artistes se comptent sur les doigts d'une main. Mais riche et célèbre de son vivant, il n'y en a qu'une : Élisabeth Vigée-Lebrun.

Lorsqu'elle s'installe en 1770 comme peintre, Élisabeth Vigée n'a que quinze ans, et déjà les commandes de portrait affluent ! La jeune femme fréquente bientôt Versailles et sa cour... et devient la portraitiste attitrée de Marie-Antoinette. Malgré son mariage raté avec un certain Lebrun et les jalousies que son succès suscite, Élisabeth accumule fortune et gloire : en 1783, elle est admise à la prestigieuse Académie royale de peinture et de sculpture. Mais, à la Révolution, elle doit fuir pour échapper à la guillotine. Sa réputation l'a précédée dans son exil : douze ans durant, toutes les cours d'Europe vont l'inviter à exercer son talent.

En 1789, sur le chemin de l'exil, Élisabeth se voit commander un **autoportrait** pour la galerie des Offices de Florence : la voici, lumineuse et souriante, en train de peindre son amie et modèle favori : Marie-Antoinette.

Soucieuse de son image, Marie-Antoinette disait ne se reconnaître que dans les portraits peints par Élisabeth : à la fois fidèles et légèrement enjolivés, dignes et pleins de vie. La reine tient ici une rose, sa fleur préférée.

ÉLISABETH VIGÉE-LEBRUN

Dates : 1755-1842

Nationalité : française

Activité : peintre

Signe particulier : a publié ses *Souvenirs*

Son œuvre est entièrement dédiée au **portrait**.

VISION DE CAUCHEMAR ?

En donnant une allure humaine à Saturne - ce dieu mythologique qui dévorait ses enfants pour ne pas être détrôné par eux -, Goya a peint l'une des images les plus effrayantes de l'histoire de l'art.

Ce géant cannibale semble tout droit sorti d'un horrible cauchemar ! Il fait partie de la série de 14 « visions », appelées « Peintures noires », exécutées par Goya directement sur les murs de sa maison de campagne. Goya est alors un vieil homme de plus de 75 ans, qu'une grave maladie a rendu sourd, et que les désastres de la guerre – celle menée par Napoléon contre l'Espagne – ont rempli d'amertume. Dénué de toute allusion mythologique et peint avec de larges touches de couleur, son *Saturne* est une dénonciation directe de la violence des hommes envers les hommes.

Les yeux exorbités de Saturne, qui préfère manger ses enfants plutôt que de renoncer au pouvoir, semblent signifier à la fois l'horreur de son geste et son impérieuse nécessité.

En 1873, avant que la maison de Goya ne soit démolie, les « **Peintures noires** » furent transférées sur toile à la demande d'un banquier belge, qui avait l'intention de les vendre à l'Exposition universelle de Paris de 1878. Finalement, il choisit d'en faire don au musée du Prado, à Madrid.

SATURNE DÉVORANT SES ENFANTS

Peint par : Francisco de Goya (Espagnol, 1746-1828)

Dates : 1821-1823

Technique : huile sur toile

Dimensions : 146 x 83 cm

Lieu de conservation : musée du Prado, à Madrid

Ce terrible portrait **mythologique** permet à Goya d'exprimer ses angoisses. →

UN PEINTRE ROMANTIQUE

Un caractère passionné, des tableaux où la souffrance et la folie des hommes sont omniprésentes, une mort prématurée : Géricault incarne par excellence l'artiste romantique.

Dès ses débuts, Géricault se montre un esprit libre. Refusant les règles de l'art néoclassique, soumis aux sujets héroïques et à la pureté des lignes, il tire ses thèmes, souvent violents, de l'actualité : soldats blessés, rescapés moribonds d'un naufrage, chevaux indomptés, fous des asiles. Dans ses œuvres, le réalisme se mêle à l'exaltation romantique : le mouvement l'emporte, servi par une touche épaisse et de forts effets d'ombre et de lumière. En moins de quinze ans – il meurt à trente-trois ans des suites d'une chute de cheval –, Géricault invente une manière audacieuse et libre, qui séduit toute une génération d'artistes.

Géricault a deux passions dans la vie : la peinture et les chevaux. Quand il ne peint pas, il passe ses journées à monter à cheval et à dessiner son animal favori.

THÉODORE GÉRICAULT

Dates : 1791-1824

Nationalité : française

Activité : peintre

Signe particulier : passion des chevaux

Pour *Le Radeau de la Méduse,* Géricault s'est inspiré du naufrage de la frégate *Méduse,* le 12 juillet 1816, au large du Sénégal : sur les 150 hommes à bord, il n'y eut que 15 rescapés. Travaillant sans relâche durant 18 mois, le peintre interroge les rescapés et va jusqu'à dessiner sur le vif des mourants dans les hôpitaux. Il choisit de mettre en scène l'instant pathétique où les naufragés – certains sont déjà morts – ont un dernier espoir en apercevant un navire au loin…

Inspiré d'une histoire vraie, *Le Radeau de la Méduse* est une **peinture d'histoire**. →

31

UN REGARD QUI COMPTE !

Ton métier est critique d'art : tu dois porter un jugement esthétique sur les œuvres, dire en quoi elles sont réussies ou ratées. Attention : c'est plus compliqué qu'il n'y paraît...

Pour écrire tes articles, qui paraîtront dans les journaux ou sur ton blog, tu passes ton temps à visiter des expositions. Sauf qu'il ne suffit pas de te balader parmi les œuvres, et de dire « ça me plaît » ou « ça ne me plaît pas », il te faut argumenter et donc te poser les bonnes questions : pourquoi l'artiste a-t-il choisi tel sujet ? Comment tire-t-il parti des couleurs ? Son travail est-il nouveau ? Pour cela, tu dois exercer ton regard en comparant les œuvres avec d'autres, l'idéal étant de rencontrer l'artiste pour parler de son travail. Tu as tous les droits, y compris de trouver une œuvre carrément nulle... Mais à une condition : trouver les bons mots pour convaincre les lecteurs !

Colle ici ta photo

Le métier de critique apparaît au XIXe siècle : au début, ce sont surtout des romanciers et des poètes, comme Émile Zola et Charles Baudelaire. Puis, avec le développement des lieux d'exposition et de la presse, des **journalistes** choisissent de se spécialiser dans ce domaine.

le critique

★ **Mission** : juger les œuvres d'art
★ **Dons** : savoir regarder, bien écrire
★ **Pouvoir** : faire et défaire la réputation d'un artiste
★ **Lieu** : exposition, galerie, showroom
★ **Risque** : se faire des ennemis parmi les artistes

Un artiste peut voir ses œuvres malmenées par un critique, et encensées par un autre : un critique n'exprime pas une vérité, seulement ce qu'il pense, en fonction de ses goûts et de ses idées.

Les critiques crient au scandale devant *Le Déjeuner sur l'herbe* de Manet en **1863**. →

32

JE SUIS PEINT DONC J'EXISTE !

Un portrait, c'est une image « trait pour trait », ou presque. En pied, en buste, tête seule, de profil, de face ou de 3/4, tout dépend de la pose du modèle et du cadrage du peintre.

Du portrait d'apparat, privilège des grands de ce monde, au portrait souvenir, le portrait peint a longtemps été le seul moyen de conserver une image de soi et de ce qu'on a été. Devenu un genre autonome à partir de la Renaissance, l'art du portrait est un précieux témoignage sur les différentes classes sociales, au fil du temps, et sur le talent des peintres à saisir la ressemblance ou la personnalité d'un modèle, parfois juste au moyen d'une attitude, hautaine ou familière, d'un regard, triste ou rieur, d'un sourire, timide ou franc...

Le portrait connaît un âge d'or au XVIIIe siècle. Commander son portrait devient une pratique courante dans toutes les couches aisées de la population. Portraits de famille et d'enfants se multiplient.

Pierre Paul Rubens (1577-1640) est l'un des peintres qui renouvellent l'art du portrait au XVIIe siècle, en diversifiant les poses et en donnant à leurs modèles plus de vivacité et de naturel.

Dans la première moitié du XIXe siècle, tous les peintres font des portraits sur commande, notamment de bourgeois en quête de reconnaissance sociale, comme **Louis-François Bertin**. Il est portraituré ici par Ingres, qui a su rendre l'imposant physique et le regard volontaire de ce puissant homme d'affaires.

Andy Warhol révolutionne le portrait et le remet au goût du jour.

33

SOUS LE REGARD D'UN ARTISTE

Tu es modèle et ton métier, c'est de poser pour des peintres ou des sculpteurs : les séances sont longues et tu es mal payé, mais tu as la chance d'être transformé en œuvre d'art !

La première fois que tu as posé, c'était pour un peintre qui voulait faire un tableau à la mode orientale, un genre en vogue dans les années 1830-1840. Il t'a demandé d'enfiler des vêtements très colorés et de drôles de babouches, puis de t'allonger sur un beau tapis. Au début, cela t'a paru facile, mais tu as vite compris ce que signifie « tenir la pose » : bras levé, tête un peu penchée, sourire aux lèvres, impossible de bouger durant près de six heures ! Tu osais à peine respirer, tant le peintre avait l'air concentré sur sa toile. Maintenant, tu sais garder l'air naturel, même quand tu as des crampes ! L'odeur entêtante de la peinture à l'huile ne te gêne plus, ni même le froid, quand tu dois poser nu. Les artistes disent que ta peau retient si bien la lumière !

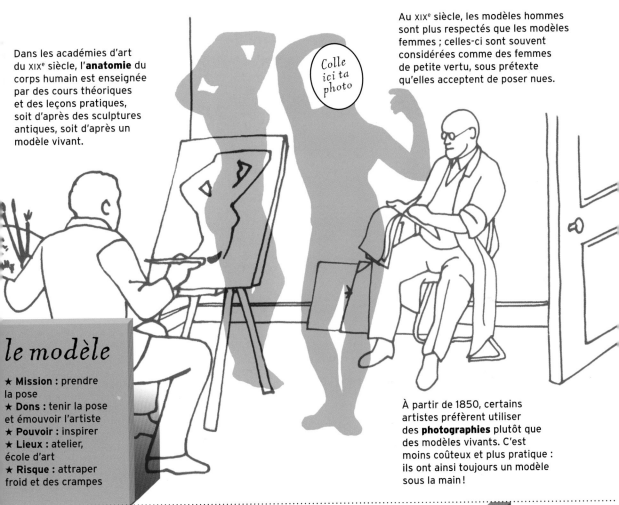

Dans les académies d'art du XIXᵉ siècle, l'**anatomie** du corps humain est enseignée par des cours théoriques et des leçons pratiques, soit d'après des sculptures antiques, soit d'après un modèle vivant.

Colle ici ta photo

Au XIXᵉ siècle, les modèles hommes sont plus respectés que les modèles femmes ; celles-ci sont souvent considérées comme des femmes de petite vertu, sous prétexte qu'elles acceptent de poser nues.

le modèle

★ **Mission** : prendre la pose
★ **Dons** : tenir la pose et émouvoir l'artiste
★ **Pouvoir** : inspirer
★ **Lieux** : atelier, école d'art
★ **Risque** : attraper froid et des crampes

À partir de 1850, certains artistes préfèrent utiliser des **photographies** plutôt que des modèles vivants. C'est moins coûteux et plus pratique : ils ont ainsi toujours un modèle sous la main !

La compagne de Klimt, Émilie Flöge, lui sert de modèle pour *Le Baiser*.

34

BEAUTÉ PARFAITE ?

La Grande Odalisque est un parfait résumé du style d'Ingres, ardent défenseur du dessin et de la ligne : modelé lisse, précision des détails et... déformations anatomiques !

« Une chose bien dessinée est toujours assez bien peinte », disait Ingres, pour qui la ligne comptait plus que la couleur. Cette jeune femme, posant entièrement nue sur un divan, paraît incarner la perfection de la beauté. Pourtant, à bien la regarder, on constate plusieurs anomalies physiques ! Ces déformations sont voulues par le peintre, qui préférait sacrifier la vérité anatomique à la beauté : la beauté de formes longues et lisses, sans ombre ni lumière. Ingres est d'abord très critiqué, avant de parvenir à imposer son style et d'être considéré comme un grand novateur. *La Grande Odalisque* est son tableau le plus célèbre.

Le dos de la jeune femme a trois vertèbres supplémentaires.

Le bras droit est anormalement long et dépourvu de poignet.

La jambe gauche, même repliée, paraît plus courte que la droite.

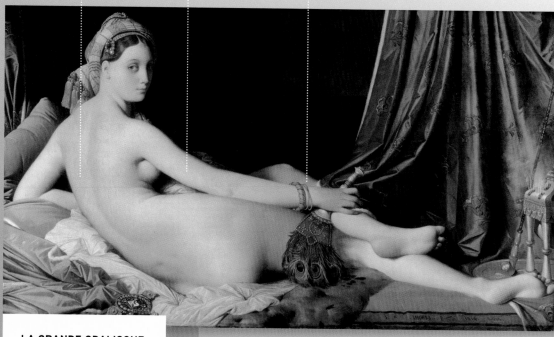

LA GRANDE ODALISQUE

Peint par : Jean Auguste Dominique Ingres (Français, 1780-1867)

Date : 1814

Technique : huile sur toile

Dimensions : 91 x 162 cm

Lieu de conservation : musée du Louvre, à Paris

Le mot **odalisque**, du turc *odaliq*, désigne une femme de harem, d'où la présence d'objets évoquant un intérieur oriental : le chasse-mouches en plumes de paon que tient la jeune femme, la pipe et le brûle-parfum, à droite du tableau.

Ingres a peint ce tableau pour **Caroline Murat**, la sœur de Napoléon, alors reine de Naples.

Ce tableau, malmené par la **critique**, est aujourd'hui considéré comme un chef-d'œuvre. →

35 LE «GRAND GENRE»!

Qui dit peinture d'histoire... dit tableaux qui s'inspirent de l'histoire antique et de l'histoire chrétienne, ainsi que de grands événements historiques de l'histoire de France.

Dans la hiérarchie des genres, établie au XVIIe siècle en France, la peinture d'histoire occupe la toute première place. Parce qu'elle représente de hauts faits héroïques qui véhiculent des valeurs morales tels l'honneur et la droiture, elle est considérée comme de la grande peinture ! Dans la seconde moitié du XVIIIe siècle, elle bat son plein, avec des tableaux de très grands formats, illustrant surtout les épisodes de l'Antiquité grecque et romaine, tels le serment des Horaces ou le combat des Sabines. Le peintre d'histoire est reconnu comme le plus talentueux de tous, le seul capable, à travers ses œuvres, de montrer le « beau idéal ». Mais, au XIXe siècle, le genre historique s'essouffle, les peintres se contentant le plus souvent de copier leurs prédécesseurs.

Delacroix combine ici un fait historique (la Révolution de juillet 1830) et une figure imaginaire : la jeune femme à demi nue brandissant le drapeau symbolise la liberté du peuple français.

À partir de 1789, les peintres d'histoire se tournent plus volontiers vers des événements contemporains, destinés à exalter la grandeur de la Révolution ou les grandes batailles napoléoniennes, telle la **bataille d'Aboukir**, immortalisée ici par Antoine Gros.

La galerie des Batailles créée à Versailles après **1682** présente des tableaux d'histoire. → 24

UNE RIVALE DE LA PEINTURE ?

Début 1839, une nouvelle commence à se répandre dans Paris : il existerait un procédé au drôle de nom - le daguerréotype - permettant de fixer des images de manière chimique...

Annoncée officiellement le 19 août 1839 devant les Académies des sciences et beaux-arts réunies, l'invention du daguerréotype est perçue comme un prodige. Avec une chambre noire (jusque-là utilisée par les artistes pour dessiner), un peu de vapeur de mercure et de l'iodure d'argent, Louis Jacques Daguerre parvient à fixer sur une plaque de cuivre des vues de Paris... en quelques minutes à peine ! Le principe est une petite révolution : la photographie est née ! Capable de réaliser le rêve des peintres : reproduire avec fidélité la réalité du monde extérieur.

Souriez, vous êtes photographié !

Dès lors, la technique ne cesse d'évoluer : au cuivre succèdent la plaque de verre et le papier, le temps de révélation des images se réduit à quelques secondes. En Europe et aux États-Unis, c'est l'engouement général : on peut désormais photographier n'importe quel paysage et la technique est parfaite pour se faire... tirer le portrait ! Entre 1850 et 1860, des centaines d'ateliers ouvrent un peu partout, chacun pouvant produire jusqu'à 2 000 portraits par an. Sans compter que l'on peut aussi acheter chez le photographe des portraits de célébrités !

Cette vue du **boulevard du Temple** est l'une des toutes premières images « révélées » par Daguerre en 1839... aussi détaillée que ce que l'œil perçoit.

« *La photographie, c'est mieux qu'un dessin, mais il ne faut pas le dire.* »
Ingres

À ses débuts, la photographie a du mal à s'imposer comme moyen d'expression artistique mais

De leur côté, certains peintres voient dans la photographie une concurrente sérieuse : non seulement elle leur enlève une part de clientèle, mais voilà que des photographes, tel Félix Nadar, osent se dire artistes ! Pas question que cette « abominable invention » prenne place parmi les Beaux-Arts. D'autres, au contraire, sont fascinés par son instantanéité : Eugène Delacroix se sert de photographies de nus comme modèles ; Edgar Degas et Pierre Bonnard se mettent eux-mêmes à prendre des photos. Au XXᵉ siècle, la photographie devient un art reconnu, et l'un des plus créatifs qui soient !

Deux techniques, deux sujets : la photographie pour garder le souvenir d'un mariage, la peinture pour immortaliser un photographe au travail !

1839

37

DE LA COULEUR TRANSPORTABLE !

À partir de 1845, l'invention de la couleur en tube produit une petite révolution dans le monde des peintres : ceux qui le souhaitent vont pouvoir désormais peindre en plein air...

L'arrivée sur le marché de tubes d'étain contenant des couleurs à l'huile va en effet tout changer. Non seulement ces tubes présentent l'avantage de conserver longtemps les couleurs intactes, mais leur petite taille permet de les transporter facilement ! Ils vont faire le bonheur de certains peintres... ceux qui préfèrent, au lieu de se consacrer à de grands sujets historiques ou religieux, s'inspirer directement de la nature. Jusque-là, pour travailler dehors, ils n'avaient à leur disposition que de petits cubes de couleur à l'aquarelle qui ne permettaient de peindre que sur papier.

Sans tubes, pas d'impressionnisme

Avec la peinture en tube, les peintres peuvent désormais s'évader de leur atelier, partir en forêt ou au bord de la mer, et en rapporter de vraies toiles peintes à l'huile... Enfin presque, car ces artistes vont d'abord, face à la nature, se contenter d'esquisser leurs tableaux, préférant les finir dans le calme de l'atelier. C'est à la fin des années 1860 que toute une génération de jeunes peintres décident d'exécuter leurs toiles entièrement sur le motif ! Ce qu'ils cherchent avant tout à rendre, c'est l'impression que produit, sous leurs yeux, les vibrations de la lumière sur la couleur. Équipés de leur chevalet de campagne - pliable ! -, et de leur boîte de couleurs en tube, ils vont tenter de capter les effets du miroitement de la

Avant l'invention des tubes, les **couleurs à l'huile** étaient conservées dans de petits sacs en vessie

lumière sur l'eau, la neige ou les blés, les effets de la lumière du matin ou celle du soleil couchant. « Ce sont les couleurs en tube qui nous ont permis de peindre complètement sur nature, confirmera l'un d'eux, Auguste Renoir. Sans les couleurs en tube, pas de Cézanne, pas de Monet, ni de Pissarro, pas de ce que les journalistes devaient appeler l'impressionnisme. »

Pour réussir à traduire les vibrations de la lumière sur l'eau, **Claude Monet** – le plus célèbre des impressionnistes – est allé jusqu'à s'aménager… un bateau-atelier ! Le voici, représenté par son ami Édouard Manet, en train de peindre au beau milieu de la Seine.

s **boîtes de peinture** s artistes gardent souvenir de leurs cherches de uleurs. Dans celle-ci, a appartenu à erre Bonnard 67-1947), grand ître de la couleur de la lumière, on ut voir, au verso du uvercle, des essais dégradés, tamment de jaunes d'orangés, présents ns toutes ses toiles.

porc, fermés par un cordon et percés d'un trou pour extraire la peinture.

38

UN INTERMÉDIAIRE QUI A L'OEIL !

Te voilà marchand d'art à la fin du XIXᵉ siècle. Attention, c'est un nouveau métier, dont il va falloir inventer les règles, tu devras être à la hauteur !

Depuis que tu habites Paris, la capitale des arts, la passion de l'art s'est emparée de toi ! Tu as commencé par acheter des gravures bon marché, mais tu fais tout pour rencontrer des artistes et visiter leur atelier. Rapidement, tu réalises qu'ils ont besoin de toi pour vendre leurs œuvres, parfois si nouvelles que les gens ne les comprennent pas. Petit à petit, ton œil s'est exercé et tu as appris à reconnaître le talent : tu vas savoir défendre l'art que tu aimes, et donc le vendre ! Tu as bientôt un tel stock que tu ouvres une galerie dans les quartiers à la mode. Mais attention aux autres marchands, la concurrence est rude ! Tu dois devenir un redoutable négociateur, savoir être patient et prendre des risques, organiser des expositions, contacter les grands collectionneurs en Europe, et, pourquoi pas, t'ouvrir au marché américain ?

De grands marchands ont organisé le marché de l'art parisien entre la fin du XIXᵉ et la première moitié du XXᵉ siècle : **Paul Durand-Ruel** (1831-1922) qui, dès 1870, reconnaît le potentiel commercial des impressionnistes ; **Ambroise Vollard** (1868-1939) qui, dans les années 1890, mise sur Van Gogh et Cézanne ; **Daniel Henry Kahnweiler** (1884-1979), ardent promoteur du cubisme dès 1910.

Colle ici ta photo

ART

le marchand d'art

★ **Mission** : gagner de l'argent
★ **Dons** : déceler les talents, pressentir les changements de goût du public
★ **Pouvoir** : créer la cote des artistes
★ **Lieu** : galeries d'art
★ **Risques** : s'endetter et miser sur un mauvais artiste

Aujourd'hui, il existe toujours de petites et grandes galeries, qui représentent des artistes souvent sous contrat. Le **marché de l'art** s'orchestre aussi dans les salles des ventes et les prestigieuses foires d'art internationales.

Les œuvres de **Murakami** sont en vente dans de prestigieuses galeries. → **60**

39

UN DÉJEUNER SCANDALEUX

Pourquoi les tableaux refusés hier sont-ils reconnus aujourd'hui comme des chefs-d'œuvre ? Parce qu'il faut toujours un peu de temps pour apprendre à apprécier ce qui est nouveau...

En 1863, le jury du Salon refuse d'exposer 3 000 tableaux sur les 5 000 reçus ! À l'époque, le Salon est le seul moyen pour un peintre de se faire connaître et d'obtenir des commandes. Face aux protestations, Napoléon III autorise l'organisation d'un Salon des refusés, dans le seul but de déclencher l'hilarité du public... et de démontrer le bon sens du jury face à ces « mauvais » peintres qui défient le bon goût ! Pari gagné : les œuvres provoquent un scandale, à commencer par *Le Déjeuner sur l'herbe* de Manet. Comment oser peindre une femme nue au milieu d'hommes habillés ? Quelle indécence, quand les seuls nus admis sont ceux des dieux et des déesses de la mythologie ! Mais pari à moitié gagné seulement... car le scandale vaut à Manet une célébrité immédiate auprès de jeunes critiques qui, eux, saluent son talent et sa modernité.

1863 BEURK!!!

Aux yeux du public de l'époque, cette femme nue ne peut être qu'une prostituée parmi ses clients ! En fait, Manet a fait poser Victorine Meurent, **l'un de ses modèles** préférés, son frère Eugène Manet et le sculpteur Ferdinand Leenhoff, son futur beau-frère.

Au premier plan, Manet a fait d'un panier de fruits renversé une superbe nature morte, près de laquelle s'est blottie... une petite grenouille !

En 1863, la majorité des critiques trouvent le tableau mal peint : manque de profondeur, aspect plaqué des figures. S'agit-il d'erreurs ? Non, tout cela est voulu par Manet, qui entend peindre comme il veut.

Manet aurait eu l'idée de ce tableau en voyant des femmes se baigner dans la Seine, lui qui, justement, revendique de ne pas peindre des dieux antiques, mais des personnages bien réels, dans de vrais paysages.

Ce tableau est un élément précurseur des mouvements dont le but sera d'**agiter**. →

LA NATURE POUR SUJET

Le paysage a longtemps servi de décor aux scènes représentées dans les tableaux... avant de devenir un genre à part entière et finir par triompher !

Inexistant dans les fresques du Moyen Âge, le paysage apparaît dans les tableaux de la Renaissance, où il devient fréquent de situer les scènes religieuses et mythologiques sur un fond de nature, plus ou moins idéalisée. Mais le paysage ne fait office que de décor aux personnages représentés. Il faut attendre le XVIIe siècle pour que des peintres hollandais se plaisent à représenter la nature qui les entoure – vastes étendues de ciels et d'eaux –, en s'appuyant sur une observation directe de la réalité. Si le paysage tarde encore à devenir un sujet, c'est pour triompher avec les impressionnistes : il devient non seulement un genre à part entière, mais l'objet à lui seul de recherches déterminantes sur la couleur, la lumière et l'espace.

Dans les paysages du Hollandais **Jacob Van Ruysdael** (1628/1629-1682), les ciels chargés de lourds nuages inspirent au spectateur une certaine mélancolie.

Au XIXe siècle, Paul Cézanne ne cesse de se mesurer au paysage, à travers le motif de la montagne **Sainte-Victoire**, qu'il rend à jamais célèbre.

Au XXe siècle, l'art du paysage s'est renouvelé avec les artistes du Land Art, qui investissent directement des lieux naturels – îles, montagnes, déserts – pour y recréer des installations éphémères.

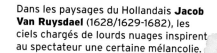

Léonard de Vinci aimait placer des paysages en arrière-plan de ses portraits. →

41

LE PEINTRE DE L'EAU ET DE LA LUMIÈRE

Avec son œuvre tout entière dédiée à la couleur et aux effets miroitants de la lumière sur la nature, Claude Monet est le plus brillant des peintres impressionnistes.

C'est en se moquant d'un tableau de Monet, *Impression, soleil levant*, qu'un critique d'art invente, en 1874, le mot « impressionnisme ». Sa manière de peindre en fragmentant les touches de couleur est alors très critiquée, mais pour rien au monde Monet ne renoncerait à son but : saisir sur la toile ce qui ne cesse de changer sous ses yeux, les vibrations de la lumière ! Chaque moment de la journée est pour lui un défi, qu'il peigne les reflets sur la Seine à Argenteuil, plante son chevalet - du matin au soir, été comme hiver - dans un champ de blé ou devant la façade d'une cathédrale. Pas un jour ne passe sans que Monet réinvente la lumière, jusqu'à sa prodigieuse série des Nymphéas, les nénuphars de l'étang de son jardin de Giverny.

chef de file des
pressionnistes,
peintre Paul Cézanne
ait : « Monet ce
st qu'un œil... Mais,
n Dieu, quel œil ! »

*La couleur
t mon obsession
uotidienne,
a joie et mon
urment.* »
ude Monet

LAUDE MONET

ates : 1840-1926

ationalité : française

ctivité : peintre

gne particulier :
moureux des fleurs

Dans *Les Coquelicots*, Monet saisit l'atmosphère vibrante d'une promenade à travers champs, par une belle journée d'été. Il peint ce que son œil voit : de larges touches de rouge vif pour les fleurs, du vert bleuté pour les herbes et un semis de petites touches pour les personnages, comme dilués dans la lumière. Au premier plan, la jeune femme à l'ombrelle est sa femme, Camille, et l'enfant, leur fils Jean.

1876, les paysages de Monet sont exposés avec *Les Raboteurs* de Caillebotte. → 42

42

UN SUJET AUDACIEUX

Alors que les paysans aux champs ont souvent été représentés par les peintres, *Les Raboteurs de parquet* est l'un des premiers tableaux à montrer des ouvriers de la ville en plein travail.

Des ouvriers torse nu en train de raboter un parquet, voilà un sujet de tableau osé pour l'époque. Pas question pour le jury du Salon officiel de l'exposer ! Le jeune Caillebotte décide donc de le présenter à la deuxième exposition qu'organisent en 1876 les peintres impressionnistes. Des critiques trouvent le sujet trop vulgaire, d'autres apprécient son réalisme. Rien ne manque, en effet : ni l'effort des raboteurs, visible dans la tension des muscles, ni les fins copeaux de bois sur la surface éclaircie du parquet. Pas même la bouteille de vin pour la pause !

Le peintre a dessiné sur papier chaque partie de sa **composition** avant de les reporter une à une sur la toile. Ainsi, il a pu mettre au point cette saisissante vue en contre-plongée, qui donne au spectateur l'impression d'être dans la pièce, face aux raboteurs.

L'intérêt de Caillebotte pour la dure réalité des **petits métiers** est contemporain de celui d'Émile Zola qui, dans son roman *L'Assommoir* (1877), décrit le travail épuisant des blanchisseuses et des repasseuses.

LES RABOTEURS DE PARQUET

Peint par :
Gustave Caillebotte
(Français, 1848-1894)

Date : 1875

Technique : huile sur toile

Dimensions :
102 x 146,5 cm

Lieu de conservation :
musée d'Orsay, à Paris

Les lames rectilignes du parquet définissent une **perspective** puissante, que soulignent les reflets sur le bois lissé et les bras tendus des travailleurs.

En représentant le quotidien des travailleurs, Caillebotte peint une **scène de genre**. → 27

43

LA CRÉATION D'ABORD !

L'art pour l'art, c'est peindre ou sculpter pour le seul plaisir de créer : peu importent les règles établies, l'argent à y gagner, ou la reconnaissance du public...

L'art pour l'art, c'est ne pas se soucier des exigences d'un commanditaire ni du goût du public. C'est cesser de puiser son inspiration dans l'histoire, la religion ou les héros de la mythologie, comme les artistes l'ont longtemps fait. C'est décider de représenter ce que l'on veut, comme on le veut... sans chercher forcément à faire beau ! Il ne s'agit pas pour autant de renoncer à dire des choses : on peut être ému par un visage et avoir envie de le peindre, être sensible à un assemblage de couleurs et vouloir le représenter... Seul l'acte de créer compte. Et tant mieux si, en plus, les œuvres plaisent à d'autres !

C'est à partir du XIXe siècle que les artistes vont revendiquer de pouvoir créer en toute liberté.

Pour **Bonnard**, « la beauté, c'est la satisfaction de la vision ». Séduit par les couleurs qu'il a vues, il a peint sa salle à manger ouvrant sur le jardin : la lumière froide du matin colore la nappe en bleu, la porte en vert, et fait chanter le rouge des murs de la pièce.

L'art pour l'art n'a plus besoin d'un **commanditaire**, l'artiste s'affranchit du goût des autres. →

44

FOU DE PEINTURE, IVRE DE COULEURS

Aucun autre artiste que Vincent Van Gogh n'a autant risqué sa vie et sa raison à peindre, envers et contre tout : la solitude, le manque d'argent, la folie...

L'histoire de Van Gogh est celle d'un homme qui avait la tête dans les étoiles et une passion : la peinture. Fils d'un pasteur hollandais, Vincent est un enfant rebelle aux études, rêveur et solitaire. À quinze ans, il est commis chez un marchand de tableaux et découvre avec joie le monde de l'art... jusqu'au jour où une déception amoureuse le ramène à son extrême solitude : seule la lecture de la Bible lui apporte un peu de réconfort.

La naissance d'une vocation

À vingt-trois ans, il décide d'aller porter la parole de Dieu aux pauvres. Confronté à la misère, il se met à dessiner... C'est décidé : il sera peintre ! Vincent a vingt-sept ans, une volonté inébranlable et le soutien total de son frère Théo, marchand d'art. Il le rejoint à Paris, découvre les peintres impressionnistes et se lance à son tour dans une conquête effrénée de la couleur. Avec une idée fixe en tête : partir dans le sud de la France, « où il y a plus

La Nuit étoilée est typique de la manière de peindre de Van Gogh : des coups de pinceau rapides traduisent son état de tension nerveuse. Les touches de couleurs tourbillonnent, les étoiles explosent comme des feux d'artifice, la forme d'un cyprès jaillit dans la nuit comme une flamme.

Vincent Van Gogh s'est frotté à de nombreux genres : le portrait, le paysage, de soleil ». Installé à Arles, il peint avec rage, cherchant à dompter sur la toile tout à la fois la lumière, le soleil, les oliviers argentés, les nuits étoilées. Face à la nature, Van Gogh peint ses émotions – « le véritable sentiment humain », dit-il –, jusqu'à en devenir fou. Après avoir été interné dans un asile, il vient se reposer à Auvers-sur-Oise, près de Paris et de son frère. Trois mois plus tard, il se tue d'un coup de revolver, dans un champ de blé qu'il est en train de peindre. Il ne croyait plus dans sa peinture, lui qui laisse pourtant près de 900 tableaux parmi les plus beaux qui soient. Une œuvre devenue très célèbre, celle d'un peintre ivre de couleurs.

À **Arles**, Van Gogh peint toute la journée dans les champs, sous un soleil de plomb. Le soir venu, il peint encore les étoiles, en s'éclairant avec des bougies plantées sur son chapeau de paille !

Voici la chambre de Van Gogh à Arles. Il trouvait, pour une fois, son tableau si réussi qu'il en a peint trois versions, presque identiques : il en a envoyé une à sa mère, en Hollande.

VINCENT VAN GOGH

Dates : 1853-1890

Nationalité : hollandaise

Activité : peintre

Signe particulier : sensibilité exacerbée

Van Gogh a peint plus de quarante **autoportraits**. Ici, le bleu envahit toute la toile ; à l'immobilité de la pose et de son regard absent s'opposent les arabesques tourbillonnantes du fond, comme s'il avait voulu montrer sa personnalité passionnée et les hallucinations qu'il avait parfois.

Vivant uniquement de l'argent que lui envoyait son frère, Van Gogh se désespérait que personne ne veuille acheter aucune de ses œuvres. Cent ans après sa mort, il sera le peintre le plus cher du monde !

la nature morte ; seule la **peinture d'histoire** n'a pas trouvé grâce à ses yeux. →

DE DRÔLES DE DAMES !

Ce tableau de Picasso, l'un des plus célèbres au monde, marque un tournant dans l'art du début du XXᵉ siècle : après lui, plus personne, ou presque, ne peindra comme avant !

En 1906, Picasso s'attelle à un grand tableau, où il cherche à peindre des corps sans recourir aux jeux d'ombre et de lumière qui, d'habitude, servent à modeler l'espace. Des mois de travail plus tard, cuisses et seins ne sont plus que formes anguleuses, comme taillées à la hache ! Les oreilles sont réduites au chiffre 8 et les visages, pour certains striés, ressemblent à des masques africains ! Picasso serait-il devenu fou ? Avec ces drôles de dames, il vient tout simplement d'envoyer en l'air les règles traditionnelles de la représentation !

« L'art est un mensonge qui nous fait comprendre la vérité. » **Pablo Picasso**

Picasso s'est inspiré des théories de **Cézanne**, pour qui tout dans la nature peut se réduire à des formes simples « le cylindre, la sphère, le cône ». Et de **l'art africain** dont il venait tout juste de découvrir la liberté des formes.

Pas si simple de réussir à démonter d'un coup les règles de la « belle peinture »... Picasso y a consacré plus de six mois de recherche, réalisant des centaines de dessins et d'études préparatoires.

Ce tableau est considéré comme le point de départ du **cubisme** – cette manière de tout réduire à des formes géométriques.

LES DEMOISELLES D'AVIGNON

Peint par : Pablo Picasso (Espagnol, 1881-1973)

Date : 1906-1907

Technique : huile sur toile

Dimensions : 243,9 x 233,7 cm

Lieu de conservation : Museum of Modern Art, à New York

Dissymétrie des visages, formes anguleuses et fragmentées, absence de perspective, points de vue multipliés : **tout ici est un défi à la ressemblance.** Un corps vu de dos n'en a pas moins un visage : osons le montrer, dit Picasso ! Ainsi, il n'a pas hésité à peindre la femme en bas à droite de dos, son visage de face et son nez de profil ! Quant au bras gauche, n'est-ce pas aussi une jambe ?

Le manque de pudeur de ces prostituées rappelle *Le Déjeuner sur l'herbe*, en **1863**.   →

DES AMOUREUX SEULS AU MONDE

Le Baiser est non seulement le tableau le plus célèbre de Gustave Klimt, mais il est aussi devenu le symbole universel de l'amour entre deux êtres.

Oh, les amoureux ! Bien à l'abri dans une sorte de grand cocon doré, un homme et une femme s'apprêtent à s'embrasser... On ne voit guère que leurs têtes, leurs mains et un bras de la belle, mais cela suffit à Klimt pour traduire toute la tendresse qui les unit. Car, derrière ce cocon que forment leurs vêtements, les corps des amoureux ne semblent plus qu'un. Afin de rendre l'instant de leur baiser plus précieux encore, le peintre a utilisé des feuilles d'argent pour les rectangles qui ornent le vêtement de l'homme et recouvert tout le fond de poudre d'or !

Les amoureux sont agenouillés devant un fauteuil, dont on distingue à peine le haut du dossier tant il se fond dans la bulle dorée qui les unit.

L'ensemble du tableau paraît constitué de mille et un petits morceaux assemblés, comme dans la technique de la **mosaïque** que Klimt a apprise dans sa jeunesse.

Les couronnes de fleurs et de feuillages forment comme des auréoles saintes sur les têtes, renforçant le caractère sacré de l'instant.

LE BAISER

Peint par : Gustav Klimt (Autrichien, 1862-1918)

Date : 1907-1908

Technique : huile sur toile

Dimensions : 180 x 180 cm

Lieu de conservation : galerie du Belvédère, à Vienne (Autriche)

Les personnages du *Baiser* sont Klimt lui-même et sa compagne Émilie Flöge, qui tenait une boutique de mode à Vienne. Klimt dessinait la plupart des tissus des vêtements qu'elle vendait.

Klimt appartient au courant artistique appelé symbolisme : tout en étant décorative, l'œuvre doit suggérer une idée au moyen de symboles. Le couple est agenouillé sur un **tapis de fleurs**. Symboles du printemps éphémère, les fleurs évoquent la fragilité du sentiment amoureux.

Cette toile est un bon exemple de **l'art pour l'art**, c'est un hymne à la beauté. →

47 LA RÉVOLTE DE L'ART !

Dans le premier quart du XXᵉ siècle, un vent de révolte souffle parmi les artistes. Ils n'ont plus envie de créer comme « avant », mais carrément autrement !

Choqués par les horreurs de la Première Guerre mondiale, des artistes décident de renverser – d'un coup – toutes les règles établies. Pour eux, créer est avant tout un acte de liberté et l'art, un moyen de « changer la vie » ! Certains se regroupent et créent des mouvements. En 1916, le mouvement dada rassemble des écrivains et des artistes qui, plutôt que de participer à la guerre, s'amusent à provoquer le spectateur avec des œuvres qui tournent tout en dérision. En 1924, les surréalistes succèdent à ces « agitateurs » : refusant toute construction logique, ils s'en remettent à l'inconscient et à des jeux d'associations absurdes pour créer des images qui n'ont pas... de sens !

Le nom de **dada** a été trouvé par les artistes en pointant au hasard un mot dans les pages d'un dictionnaire !

Cette révolte des artistes est autant politique qu'esthétique : s'ils créent des œuvres insolites et pas toujours compréhensibles, c'est pour dénoncer la société et le chaos du monde...

Les artistes dada pratiquent souvent le photomontage, associant des éléments hétéroclites. Ici, **Raoul Hausmann** a collé une photo de son visage – crachant au monde un morceau de ciel étoilé – au milieu d'un tourbillon de tickets, de lettres, de billets de banque, de morceaux d'affiches.

Cet art veut faire réagir le **public** et l'inviter à se poser des questions.

48

UN MONSTRE SACRÉ

La carrière prolifique de Picasso est un concentré de l'histoire de l'art du XXᵉ siècle, qu'il a traversé sans cesser de se renouveler, avec une originalité et une liberté inégalées.

Tour à tour enfant prodige, inventeur du cubisme, sculpteur surréaliste, graveur et céramiste, Picasso est sans doute le plus grand artiste du XXᵉ siècle. Doté d'un formidable appétit de vivre et de créer, il a puisé partout - l'art africain, la mythologie, les maîtres anciens - pour réinventer de nouvelles formes avec une liberté insolente ! Homme de passions, il a intégré tout ce qu'il aimait à son art : ses compagnes, au centre de son œuvre, ses enfants, le cirque, la corrida, l'Espagne, la politique. Bouleversant les codes de la représentation, souvent avec humour, il n'a cessé de mettre au défi le regard du spectateur. « Je ne cherche pas, je trouve », aimait répéter ce monstre sacré de l'art.

Juan-les Pins, août 1948 : amoureux, Picasso se fait le porteur de parasol de sa compagne **Françoise**, qu'il peindra sous l'apparence d'une femme fleur, radieuse, solaire et un peu hautaine.

« J'AI MIS TOUTE MA VIE À SAVOIR DESSINER COMME UN ENFANT. »
Pablo Picasso

icasso écompose le orps pour mieux e montrer... Voici **Marie-Thérèse**, a compagne des nnées 1930 : eau couleur e lune, nez roéminent, yeux n amande, longs oigts semblables des palmes, seins n boule... Toute Marie-Thérèse st là : à la fois de ace et de profil !

PABLO PICASSO

Dates : 1881-1973

Nationalité : espagnole

Activités : peintre, sculpteur, graveur, céramiste

Signe particulier : passionné de corrida

Picasso n'a jamais peint d'œuvres abstraites contrairement à **Kandinsky**.

UN URINOIR... UNE OEUVRE D'ART ?

Suffit-il de donner un titre et de signer un banal objet fabriqué en série – un objet tout fait (*ready-made*) – pour en faire une œuvre d'art ? Oui, affirme Marcel Duchamp en 1917 !

En 1917 doit s'ouvrir à New York une exposition dont les organisateurs se disent prêts à accepter n'importe quelle œuvre pourvu que son auteur participe aux frais. Membre du comité de sélection, l'artiste français Marcel Duchamp (1887-1968) n'en est pas si sûr... Il achète un banal urinoir, le retourne à 90°, le titre avec humour *Fontaine* et le signe du nom d'un artiste fictif, Richard Mutt. Titré et signé, l'objet possède donc, à ses yeux, les qualités d'une œuvre d'art... Mais elle est refusée ! S'ensuit un scandale, et Duchamp est sommé de s'expliquer : pour lui, c'est l'idée qui prévaut sur la création. Et sa création, c'est d'avoir fait perdre à l'objet sa fonction utilitaire et d'avoir décidé que c'était une œuvre d'art !

Comme les autres *ready-mades* de Duchamp, l'original de la **Fontaine** a été perdu. Cette réplique a été réalisée sous sa direction en 1964, d'après une photographie de l'original.

Avec ses *ready-mades* – urinoir, roue de bicyclette ou porte-bouteilles –, Duchamp remet à jamais en question la notion d'œuvre d'art, censée être belle et unique... Il ouvre ainsi la voie à plusieurs mouvements, tels le surréalisme et le pop art, qui utiliseront des objets de la vie courante.

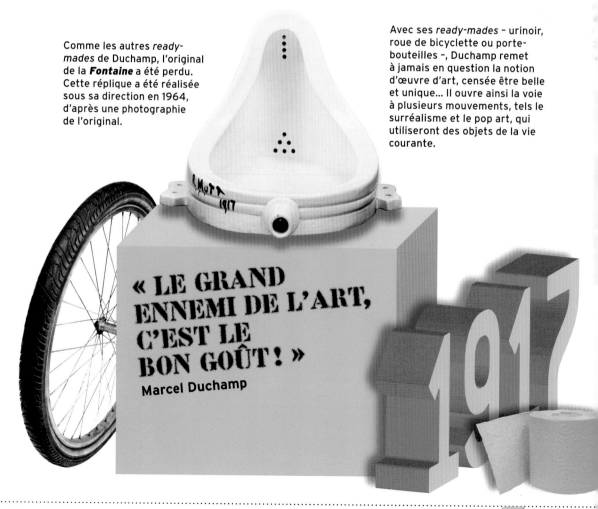

« LE GRAND ENNEMI DE L'ART, C'EST LE BON GOÛT ! »
Marcel Duchamp

1917

LA PEINTURE : MIROIR DE LA RÉALITÉ ?

Tout en s'inspirant de la réalité, Magritte n'a cessé de peindre des œuvres décalées et pleines d'humour qui, toutes, obligent le spectateur à réfléchir sur le sens des images.

Dans ses tableaux, Magritte joue sur le décalage entre les objets et leur représentation. Lorsqu'il peint un homme de dos se regardant dans une glace, celle-ci ne reflète pas le visage de l'homme mais... son dos ! Lorsqu'il peint une pipe, il prend soin de préciser sur sa toile : « Ceci n'est pas une pipe. » Le spectateur voit une pipe... qui n'en est pas une, explique Magritte : « Pouvez-vous la bourrer ma pipe ? Non, n'est-ce pas ? Donc si j'avais écrit " ceci est une pipe ", j'aurais menti ! » Ce que veut dire Magritte, avec ce tableau qu'il titre *La Trahison des images*, c'est qu'un objet peint n'est jamais qu'une apparence, qui se fait passer pour la réalité.

...ré à quatre épingles dans son costume ...mbre, Magritte pose devant l'un de ses ...bleaux : un chapeau melon sans tête, ...-dessus d'un costume sans tête... ...la tête, c'est lui, lui le chef de file ... mouvement surréaliste belge.

En plaçant dans *Les Deux Mystères* son tableau le plus célèbre, *La Trahison des images*, Magritte fait coup double : non seulement une pipe peinte n'est pas une pipe, mais un tableau dans un tableau, n'est pas, non plus, un tableau... seulement son image !

Ceci n·est pas une pipe

RENÉ MAGRITTE

...ates : 1898-1967

...ationalité : belge

...ctivité : peintre

...igne particulier : ... dirigé un atelier de ...réation publicitaire

51

L'UN DES INVENTEURS DE L'ART ABSTRAIT

En renonçant à représenter un sujet figuratif au profit de ses propres « sensations » face à la couleur, Kandinsky invente une toute nouvelle manière de peindre : l'abstraction.

En 1910, Kandinsky rédige une théorie sur les correspondances qui existent entre les formes et les couleurs. Le bleu est une couleur froide, céleste, concentrée sur elle-même, comme un cercle ; le jaune, qui évoque la chaleur et le rayonnement, est synonyme d'action et correspond au triangle ; le rouge, lui, correspond au carré, forme intermédiaire entre le cercle et le triangle. Dès lors, inutile pour Kandinsky de prendre modèle sur la réalité : il lui suffit de combiner la force des couleurs et la dynamique des formes pour créer une composition qui agisse sur les sens du spectateur. Pour faire naître une émotion, une œuvre peut être abstraite !

Jaune-Rouge-Bleu est organisé en deux parties : la zone gauche, dominée par le jaune, est lumineuse et aérée ; la zone droite est plus sombre, alourdie par une épaisse ligne noire et sinueuse, d'où le bleu semble s'échapper ; le rouge forme une sorte de pont entre les deux. L'image évoque le soleil et la lune, entre le jour et la nuit, l'aurore et le couchant...

VASSILY KANDINSKY

Dates : 1866-1944

Nationalité : française, d'origine russe

Activités : peintre, théoricien de l'art et professeur

Signe particulier : passionné de musique

Pour Kandinsky, chaque forme colorée correspond aussi à une **sonorité** : le triangle jaune évoque une note aiguë, le cercle bleu un son grave, l'un s'accordant ou s'opposant à l'autre comme des notes de musique.

Tout en menant ses recherches sur l'abstraction, Kandinsky est, de 1922 à 1933, professeur au **Bauhaus**, une école d'art en Allemagne dont le programme était d'inventer l'art du futur.

L'art de **Yves Klein** est encore plus abstrait que celui de Kandinsky. → 56

52

UN ACTEUR MAJEUR

À quoi serviraient les œuvres d'art s'il n'y avait personne pour les regarder ? C'est le rôle du public et tu en fais partie quand tu visites un musée ou une exposition, et même en lisant... ce livre !

Curieux d'esprit, tu as décidé d'aller visiter la grande expo dont tout le monde parle en ce moment. Armé de patience, tu es prêt à affronter la foule. Tu as préparé ta visite en te documentant dans des livres et sur Internet, parfois tu préfères ne rien savoir à l'avance, et partir à la découverte... Une fois à l'intérieur, tu t'organises comme tu veux : tout voir ou rester une heure devant une œuvre, opter pour les audioguides qui donnent des explications, prendre tes propres notes... De visite en visite, tu participes à assurer le succès des expositions et des musées. Et surtout, tu as appris à regarder : tu es devenu un véritable amateur d'art !

Aujourd'hui, tous les grands musées proposent des ateliers pédagogiques et des visites à la carte, adaptées à chacun des publics : scolaires, familles, groupes, handicapés.

Qui dit public dit **espace public** : outre certains bâtiments construits par de grands architectes – l'architecture est un art –, le public des villes croise des œuvres d'art un peu partout, sur les places ou dans les jardins... publics !

Colle ici ta photo

le public

★ **Mission** : aller à la rencontre de l'art
★ **Dons** : curiosité, capacité à s'émouvoir
★ **Pouvoir** : assurer le succès d'une exposition
★ **Lieu** : partout où il y a de l'art
★ **Risque** : aucun !

Vincent Van Gogh ne connut le succès auprès du public que longtemps après sa mort. → 44

53

L'ART MODERNE AU MUSÉE

En 1929, alors que la France hésite encore à faire entrer dans ses musées des œuvres d'artistes vivants, s'ouvre à New York un musée entièrement consacré à l'art moderne.

En octobre 1929, le krach boursier de Wall Street plonge les États-Unis dans une grave crise économique... Mais rien ne saurait arrêter le projet de trois riches Américaines : fonder à New York un musée d'art moderne, afin d'« aider à comprendre les arts visuels de l'époque ». Un mois plus tard, le Museum of Modern Art ouvre ses portes, sur la 5ᵉ Avenue. Les expositions s'enchaînent, toutes disciplines confondues : peinture, sculpture et dessin, mais aussi photographie, architecture, design industriel, théâtre et cinéma. Du jamais vu ! Son succès et l'enrichissement des collections sont tels que le musée doit s'agrandir, et se dote en 1939 d'un beau bâtiment tout de verre et de métal : modernité oblige !

Les habitués ne disent pas « Museum of Modern Art », mais tout simplement **MoMA** ! Entre 2002 et 2004, le MoMA a été réaménagé et sa surface, doublée. La présentation des collections change tous les ans.

Cette sculpture, **Forme unique de la continuité de l'espace**, conçue en 1913 par l'Italien Umberto Boccioni (1882-1916) et réalisée en bronze en 1931, est entrée au MoMA en 1948. C'est l'une des œuvres les plus célèbres du mouvement appelé « futurisme », né en Italie en 1909.

Les Demoiselles d'Avignon de Picasso sont conservées au MoMA.

54

LA VITALITÉ À L'ÉTAT PUR !

Le titre d'une œuvre abstraite indique parfois clairement ce que l'artiste a voulu suggérer : avec *Broadway Boogie-Woogie*, il est tout simplement question de Broadway et du boogie-woogie !

Avec ses gratte-ciel et ses enseignes qui clignotent jour et nuit, Broadway, le quartier des théâtres, est l'un des plus trépidants de New York. Le voici suggéré par Mondrian, à travers des lignes – verticales pour les immeubles, horizontales pour le quadrillage des rues new-yorkaises – et des carrés de couleur pour les pulsations lumineuses des néons ! Le rythme visuel produit par ces lignes colorées évoque aussi celui du boogie-woogie, cette musique issue du jazz et du blues américains, faite pour danser sur un tempo rapide et joyeux !

La plupart de ce qu'on croit voir comme des **carrés** n'en sont pas. Il suffit d'ouvrir l'œil ou... de les mesurer. Le tableau, lui, est bien carré !

En **1940**, Mondrian fuit l'Europe et la Seconde Guerre mondiale, et s'installe à New York où il rejoint le groupe des artistes abstraits américains.

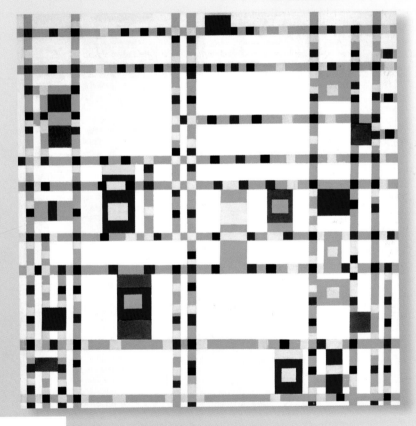

BROADWAY BOOGIE-WOOGIE

Peint par : Piet Mondrian (Néerlandais, 1872-1944)

Dates : 1942-1943

Technique : huile sur toile

Dimensions : 127 x 127 cm

Lieu de conservation : Museum of Modern Art, à New York

Engagé depuis **1917** dans la voie de l'abstraction, Mondrian peint sur ses toiles des lignes orthogonales soulignées de noir, qui délimitent des espaces remplis de couleurs primaires, bleu, rouge, jaune. Stimulée par l'énergie si particulière de New York, sa peinture fait peau neuve ! Fini les lignes noires qui étaient jusque-là sa marque, à lui le maillage des lignes colorées sur fond blanc.

Ce tableau peut être défini comme étant un **paysage** abstrait de New York.   →

55

L'ART DU DÉCOUPÉ-COLLÉ !

Des ciseaux pour dessiner dans la couleur et tailler dans la lumière... un peu de colle... et cela suffit à Matisse pour créer de grands *Nus bleus* !

Faut-il privilégier la couleur ou la forme ? Cette question n'a cessé d'obséder le peintre Henri Matisse. Vers la fin de sa vie, il trouve la solution : avec de la gouache bleue – le bleu représente pour lui le volume et la lumière –, il recouvre de couleur de grands papiers ; il y découpe ensuite des morceaux de couleur, au gré de ses ciseaux, ici un ovale, là une forme plus allongée ; il ne lui reste plus qu'à coller ses papiers découpés sur fond blanc... qu'il choisit d'assembler en un corps de femme ! La forme est devenue couleur et la couleur est devenue forme !

Sur papier et en deux dimensions, *Nu bleu III* donne pourtant l'impression d'être une sculpture : les vides qui marquent les articulations procurent à l'ensemble un effet de relief.

Cette œuvre fait partie d'une série de quatre *Nus bleus,* tous réalisés en **1952**.

> « DÉCOUPER À VIF DANS LA COULEUR ME RAPPELLE LA TAILLE DIRECTE DES SCULPTEURS. »
> **Henri Matisse**

HMATISSE 52

NU BLEU III

Peint par : Henri Matisse (Français, 1869-1954)

Date : 1952

Technique : papiers gouachés, découpés et collés sur papier blanc

Dimensions : 112 x 73,5 cm

Lieu de conservation : musée national d'Art moderne - Centre Georges-Pompidou, à Paris

C'est à la suite d'une opération chirurgicale en 1941, qui l'oblige à travailler couché, que Matisse met au point sa technique des « papiers peints, découpés et collés », dont il se servira jusqu'à la fin de sa vie.

Le collage est l'une des nouvelles **techniques** utilisée au XXᵉ siècle.

ARTISTE   YVES KLEIN

LE PEINTRE DU BLEU ET DE L'ESPACE

Pour Yves Klein, l'art est présent dans l'infini du cosmos, à l'état invisible. À lui de le rendre visible, en faisant du bleu SA couleur, car l'infini, c'est forcément bleu !

En décidant de se consacrer à l'art, Yves Klein va réinventer le « métier » d'artiste : pour lui, c'est le geste spectaculaire qui prime sur l'œuvre réalisée. Le geste, c'est de couvrir ses toiles d'une seule couleur et au rouleau, comme un peintre en bâtiment ! Le geste, c'est de mettre au point un bleu rien qu'à lui et d'en déposer le brevet sous le nom d'IKB, « International Klein Blue » ! C'est aussi d'organiser une exposition sur le « Vide » - avec rien à voir - ou de transformer ses modèles - des corps nus enduits de bleu - en « pinceaux vivants » ! C'est enfin de se déclarer « le peintre de l'espace ».

« LE BLEU N'A PAS DE DIMENSION, [...] IL RAPPELLE TOUT AU PLUS LA MER ET LE CIEL, CE QU'IL Y A DE PLUS ABSTRAIT DANS LA NATURE. »
Yves Klein

Si c'est en IKB, c'est peint par Klein ! Ses 285 monochromes bleus ont pour titre *IKB*, suivi d'un numéro : certains sont très lisses, d'autres présentent des effets de matière qui accrochent la lumière, comme *IKB 46*, peint en 1955.

YVES KLEIN

Dates : 1928-1962

Nationalité : française

Activité : peintre

Signe particulier : ceinture noire, 4e dan de judo

Dès ses débuts, Klein aime se mettre en scène : se faire photographier avec son fameux rouleau et se faire appeler « Yves le Monochrome ». En huit ans d'une carrière fulgurante - il meurt à trente-quatre ans -, il multiplie les performances audacieuses, comme brûler des toiles pour créer des peintures de feu !

Yves Klein se servait de ses **modèles** comme de pinceaux vivants.

57

TOUT EST PERMIS!

Depuis les années 1950, parce que les artistes ne cessent d'inventer d'autres manières de créer, ils se permettent d'utiliser tout... et n'importe quoi : la fin justifie les moyens !

Exit les pinceaux, que les artistes remplacent par des rouleaux de peintre en bâtiment, des balais-brosses ou des éponges. Et, si l'envie leur vient de tracer des sillons dans la couleur, rien de mieux qu'un peigne ou un râteau ! Sans compter que les œuvres d'art peuvent aussi se réaliser à l'aérographe, en sérigraphie et en série, et même sur ordinateur !

Exit la peinture à l'huile : quitte à peindre à l'acrylique, apparue en Amérique dans les années 1950, pourquoi ne pas utiliser aussi de la peinture pour voiture, du sable ou du goudron ! Et c'est souvent encore mieux d'ajouter, collés à même le support, des morceaux de photos ou des plumes, des clous ou du verre, des pneus ou des jouets... Et même les restes d'un repas ou des animaux tout entiers, empaillés !

Inventée en 1950 par des chimistes, la **peinture acrylique** est composée de pigments d'origine végétale, minérale ou chimique – similaires à ceux de la peinture à l'huile – et d'une résine acrylique qui sert de liant. Inutile d'en donner la recette, on l'achète toute prête !

Diluée à l'eau, la peinture acrylique sèche vite et permet de travailler rapidement les différentes couches. Elle est très solide, mais n'autorise aucun effet de transparence. Pour obtenir des effets de matière, on peut y ajouter des textures, comme du sable ou du tissu.

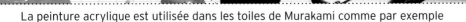
La peinture acrylique est utilisée dans les toiles de Murakami comme par exemple

ans les années 1960,
sscinés par le règne de
télévision, des artistes
tilisent l'écran pour créer
ne nouvelle forme d'art :
art vidéo. Pour la
remière fois, le son,
ssocié à l'image, devient
ne œuvre d'art. Des
nages passent en boucle,
uent sur leur apparition
u leur disparition pour
rprendre le spectateur
n brouillant son regard !

a frontière entre peinture et sculpture n'existe
lus : certains tableaux sont des assemblages
n trois dimensions, et les sculptures faites de
éons s'accrochent au mur ! Pour les artistes
odernes et contemporains, c'est d'abord le
este - le plus inattendu possible - qui compte !

« UNE PAIRE DE CHAUSSETTES
N'EST PAS MOINS ADAPTÉE
À LA RÉALISATION D'UNE
PEINTURE QUE LE BOIS,
DES CLOUS, DE L'ESSENCE DE
TÉRÉBENTHINE, DE LA PEINTURE
À L'HUILE ET DE LA TOILE. »
Robert Rauschenberg

Grâce à la peinture en
bombe, de jeunes Noirs
new-yorkais s'emparent,
dans les années 1970, des
murs de la ville et du monde
souterrain du métro pour
y peindre des **tags et des
graffitis** : des images aux
couleurs vives et au
message violent.
D'abord perçus comme des
vandales, certains sont
reconnus comme de vrais
artistes au début des
années 1980.

n Tan Bo Puking - a.k.a. Gero Tan.

LE MARCHÉ DE L'ART CHANGE DE CONTINENT

Dans les années 1950, Paris, installée depuis trois siècles dans son rôle de capitale mondiale de l'art, se voit ravir la place par New York.

L'arrivée des États-Unis sur le devant de la scène artistique se produit grâce à Jackson Pollock (1912-1956) et Mark Rothko (1903-1970). Leur manière de peindre – nommée « expressionnisme abstrait » – est radicalement nouvelle : elle consiste à retranscrire leurs sentiments sur la toile uniquement par la couleur et des formes abstraites. Au début des années 1960, c'est au tour du pop art de souffler un vent nouveau par le retour à une figuration basée sur la société de consommation, avec Andy Warhol (1928-1987) et Roy Lichtenstein (1923-1997) en vedettes... américaines !
Le modèle américain, tant économique que culturel, fait rêver le monde. Et le marché de l'art, jusque-là orchestré par Paris, change de continent et devient international... pour longtemps !

Dans les années 1960, des artistes français réagissent à l'offensive américaine avec le « nouveau réalisme » et la « figuration narrative », deux mouvements issus de l'esthétique du... pop art !

« EN AMÉRIQUE, PLUS C'EST GROS, MIEUX C'EST. »
Roy Lichtenstein

Roy Lichtenstein est l'une des figures majeures du pop art. Fasciné par l'efficacité des bandes dessinées, au graphisme simple et aux histoires populaires, il en souligne l'effet visuel en peignant des vignettes agrandies au format gigantesque d'un tableau.

FORGET IT! FORGET ME! I'M FED UP WITH YOUR KIND!

Avec *America America* (1964), le Français Martial Raysse (né en 1936), du groupe des « nouveaux réalistes », célèbre avec ironie l'Amérique toute-puissante : les néons font écho à ceux qui envahissent ses rues, les étoiles évoquent son drapeau étoilé, la main, celle de la statue de la Liberté...

1950
1970

Les **marchands** américains, tels que Leo Castelli, ont pris le pas sur les Européens. → **38**

LA STAR DE L'ART POP !

Avec ses « portraits » de boîtes de soupe Campbell's et de stars d'Hollywood, Andy Warhol est l'une des figures majeures du pop art, qui met en images l'Amérique des années 1960.

D'abord illustrateur publicitaire, Andy Warhol fait son entrée dans le monde de l'art avec de grandes images de boîtes de soupe Campbell's et de bouteilles de Coca-Cola. Pour lui comme pour les artistes du pop art américain, l'art doit s'inspirer de la société de consommation pour entrer dans la vie quotidienne. À la mort de Marilyn Monroe, en 1962, il réalise le portrait de la star – en série ! – et devient lui-même une star de la scène new-yorkaise. Revendiquant le caractère industriel de son art, il baptise son atelier la Factory : l'« usine » ! Ses assistants réalisent ses œuvres pendant que lui s'adonne au cinéma. Warhol reviendra à la peinture après 1968, multipliant de très rentables portraits de célébrités.

> « FAIRE DE L'ARGENT, C'EST FAIRE DE L'ART [...] FAIRE DE BONNES AFFAIRES, C'EST FAIRE DU TRÈS BON ART. »
> Andy Warhol

Dès ses débuts, Warhol utilise la **sérigraphie** d'après photographie. Le procédé consiste à reproduire une photo mécaniquement sur une toile, à l'encre noire et/ou en variant les couleurs. L'image acquiert une grande efficacité visuelle, et peut être reproduite à l'identique et en série, et le sourire de **Marilyn** 25 fois !

En considérant l'art comme un moyen de gagner beaucoup d'argent, en employant des assistants pour réaliser ses idées, en refusant de signer ses œuvres, Andy Warhol remet en cause le rôle de l'artiste, censé être un pur créateur.

ANDY WARHOL

Dates : 1928-1987

Nationalité : américaine

Activités : peintre, cinéaste et acteur

Signe particulier : producteur d'un groupe de rock

Les toiles de Warhol ont **immortalisé** des stars comme Marilyn Monroe, Liz Taylor et même Mao.   ➔ **03**

L'APOCALYPSE À LA JAPONAISE

Avec cette drôle d'image d'apocalypse - inspirée comme toujours chez lui de l'univers des mangas et des dessins animés japonais -, Murakami livre sa vision du monde contemporain.

Dans *Tan Tan Bo Puking - a.k.a. Gero Tan*, Murakami met en scène l'un de ses personnages familiers: Mr Dob, une créature toute ronde aux dents de requin et aux multiples yeux, que l'artiste considère comme son double et qu'il ne cesse de décliner sous toutes les formes: peintures, sculptures, ballons ou peluches. Mr Dob domine ici tout le tableau : il s'est transformé en un énorme champignon, en train de vomir tout ce qu'il a avalé ! Une douzaine d'autres petits Dob, aux allures de soucoupes volantes en pleine mutation, évoluent tout autour de lui. Murakami a disséminé çà et là d'autres personnages clés de son œuvre : le drôle de bouddha nommé Oval, les lapins Kaikai et Kiki, sortes de gardiens spirituels de l'artiste, et des fleurs au large sourire enchanté. Pour lui, cette vision d'apocalypse, mi-joyeuse mi-effrayante, est une allégorie de l'insatiable désir de consommation qui régit la société d'aujourd'hui : de même que Mr Dob vomit d'avoir trop mangé, trop consommer mène le monde à sa destruction. Ce tableau est inspiré des souvenirs d'enfance de l'artiste, et notamment des cauchemars qu'il faisait après avoir regardé *The Thing* (*La Chose*), un film de science-fiction où les gens se transforment en monstres. Quant à Mr Dob, l'artiste l'a créé à partir d'un personnage d'une bande dessinée sur les démons, qu'il aimait lire enfant. En un mot, *Tan Tan Bo Puking - a.k.a. Gero Tan* est aussi un gigantesque autoportrait de Murakami !

TAN TAN BO PUKING - A.K.A. GERO TAN

Peint par : Takashi Murakami (Japonais, né en 1962)

Date : 2002

Technique : acrylique sur toile montée sur panneau

Dimensions : 360 x 720 x 6,7 cm

Lieu de conservation : Collection privée
courtesy Galerie Emmanuel Perrotin, Paris & Miami

Le souci du détail et l'importance de la taille du tableau de Murakami rejoignent

À la fin des années 1980, Murakami crée la Hiropon Factory, aujourd'hui la Kaikai Kiki Corporation, qui crée des produits dérivés de ses œuvres : T-shirts, badges, etc. Créateur du style artistique Superflat (Superplat), surnommé l'Andy Warhol japonais, l'artiste revendique l'héritage du pop art américain, tout en conservant son identité en puisant dans l'univers graphique des bandes dessinées et des dessins animés japonais.

À leur manière, les œuvres de Murakami se penchent sur l'histoire de son pays : par exemple, les champignons font référence aux bombardements atomiques dont le Japon fut victime notamment à Hiroshima en août 1945.

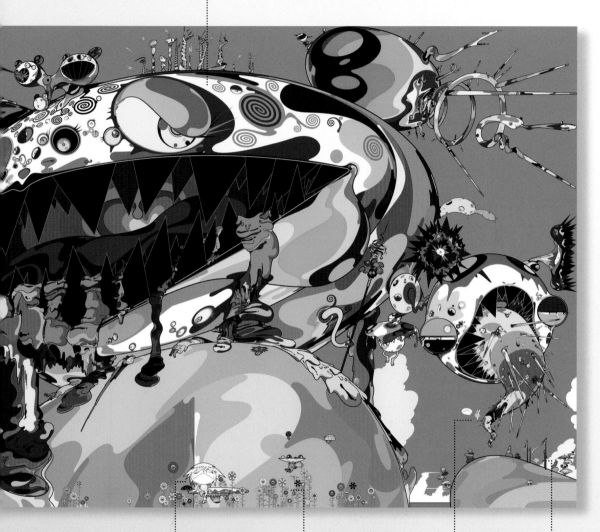

Voici **Oval**, une sorte de petit bouddha doté de deux visages : l'un à l'air méditatif, comme ici, avec une grande bouche fermée ; l'autre, que l'on ne voit pas, affublé d'un sourire d'où sortent des dents de vampire.

Pour Murakami, les **fleurs** souriantes, qu'il introduit dans toutes ses œuvres, sont à la fois une invitation à la joie et une façon de se moquer un peu du côté souvent « artificiel » de l'art contemporain.

Voici **Kaikai**, tout blanc, avec de longues oreilles de lapin, ici suspendu dans les airs et hurlant... et voilà Kiki, tout rose, avec de petites oreilles et trois yeux, posé au milieu de drapeaux à prières !

PRINCIPAUX SYMBOLES EN PEINTURE

Dans les œuvres d'art anciennes, notamment les tableaux religieux, on trouve de nombreux objets qui symbolisent une idée. À l'époque, les spectateurs cultivés savaient les décrypter mais, aujourd'hui, on ne peut comprendre ce qu'ils signifient qu'en sachant ce qu'ils symbolisent.

AGNEAU
Christ dans son rôle sacrificiel ; innocence

ARBRE
union de la vie terrestre et divine ; croix ; renaissance

BOUGIE
brièveté de la vie ; Dieu qui voit tout

COLOMBE
attribut de Vénus ; Saint-Esprit ; paix

BULLES
brièveté de la vie

CERISE
paradis

CHIEN
luxure ; dans un portrait : fidélité

COURGE
attribut du pèlerin ; résurrection

COQUILLE SAINT-JACQUES
signe distinctif du pèlerin

CRÂNE
mort

DRAPEAU
croix rouge : résurrection

JARDIN
entouré de murs, il symbolise la virginité de Marie.

LAPIN/LIÈVRE
luxure

LIERRE
vie éternelle

GRENADE
chasteté ; autorité de l'Église

LYS
pureté

NŒUD
nœud de l'amour

ŒUFS
création, résurrection
ŒUF D'AUTRUCHE
naissance de la Vierge

PALMIER, (BRANCHE DE)
victoire ; signe d'un martyre

LUTH
si corde cassée : discorde, mort

OISEAU
âme humaine

PAON
immortalité et résurrection

PAPILLON
âme humaine

PÉLICAN
Christ dans son rôle
sacrificiel

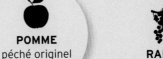
POMME
péché originel

RAISIN
art chrétien ;
sang du Christ

POISSON
Christ ;
chrétienté

ROUE
fortune ; destin

SABLIER
temps qui
passe

SERPENT
démon ; péché originel ;
force de la vie ;
sexe

SINGE
vice et luxure.
Représente aussi
la peinture et
la sculpture.

OUÏE
instruments de
musique et cerf

GOÛT
fruit ; nourriture ;
boisson et singe avec
un fruit dans la
bouche

EUROPE
couronne et sceptre ;
corne d'abondance ;
outils ; cheval

**LES
CONTINENTS
SONT
REPRÉSENTÉS
PAR**

VUE
miroir ; reflet dans
les armures ; plat
en étain ; aigle

**LES
CINQ SENS SONT
REPRÉSENTÉS
PAR**

TOUCHER
jeu de cartes ; damier ;
pièce de monnaie ;
hérisson ;
hermine

ASIE
épices ; fleurs ;
joyaux ; encens ;
chameau

AMÉRIQUE
arc ; flèche ;
plumes, ;caïman

ODORAT
fleurs ; parfums ;
chien

AFRIQUE
femme noire ; corail ;
lion ; éléphant ;
scorpion ;
serpent

**LES
QUATRE ÉLÉMENTS SONT
REPRÉSENTÉS PAR**

TERRE
serpent ; scorpion ;
plante ; fruit et Cérès ;
déesse
des Moissons

FEU
salamandre ; foudre ;
phénix et Vulcain ;
dieu des Forges

EAU
fontaine ; dauphin ;
Neptune ; dieu
de la Mer

AIR
oiseau ; bulle de
savon et Junon,
déessedu Ciel

LES COURANTS ARTISTIQUES DE LA RENAISSANCE À NOS JOURS

NOM	DATES	LIEUX	PRINCIPAUX ARTISTES	PARTICULARITÉS
RENAISSANCE	**1420-1560**			
	Quattrocento	Florence	Filippo Brunelleschi, Masaccio, Piero della Francesca	Valorisation de l'homme, goût pour les sciences, la nature, l'Antiquité...
	Cinquecento	Rome	Léonard de Vinci, Michel-Ange, Raphaël	Maîtrise de la perspective, invention du *sfumato*
	Fin cinquecento	Venise	Giorgione, Titien, le Tintoret	Mise en avant de la lumière et de la couleur
	XVIᵉ siècle	Europe du Nord	Bosch, Bruegel, Dürer, Holbein le Jeune	Synthèse de l'influence italienne et du gôut du détail
ÉCOLE DE FONTAINEBLEAU	**XVIᵉ siècle**	France	Francesco Primatice, Rosso	Définit l'art de la Renaissance en France.
BAROQUE	**XVIIᵉ siècle**	Europe catholique	Rembrandt, Franz Hals, Rubens, Van Dyck, Vélasquez, Georges de La Tour	Art exubérant en réaction à l'austérité protestante
ART DE LA RÉFORME	**XVIIᵉ siècle**	Europe protestante	Jacob Van Ruisdael, Johannes Vermeer	Scènes de la vie quotidienne, travail sur la lumière
CLASSICISME	**1650 / 1690**	France/Rome	Nicolas Poussin, Charles Le Brun, Philippe de Champaigne, Claude le Lorrain	En réaction au baroque, retour aux grands modèles de l'Antiquité, thèmes mythologiques, primauté du dessin sur la couleur, refus du dramatique
ROCOCO	**1730-1770**	France	François Boucher, Jean-Honoré Fragonard, Antoine Watteau	Art s'inspirant du libertinage des courtisans, couleurs pastel, lignes courbes
NÉOCLASSICISME	**1750-1830**	France/Rome	Jacques Louis David, Ingres, Gros, Girodet-Trioson	Après la découverte de Pompéi et d'Herculanum à la fin du XVIIᵉ siècle, retour aux modèles antiques
ROMANTISME	**1814-1850**		Géricault, Friedrich, Delacroix, Goya	S'oppose aux rigueurs de l'Académie, hardiesse et liberté de la touche révélant une sensibilité profonde.
RÉALISME	**À partir de 1830**	France	Millet, Courbet, Daumier	Peinture puisant son inspiration dans les classes populaires avec un souci d'authenticité
IMPRESSIONNISME	**1874-1886**	Bords de Seine	Monet, Renoir, Degas, Sisley, Bazille, Caillebotte	Technique visant à traduire l'impression de la lumière
NÉO-IMPRESSIONISME	**1886-1891**	France	Seurat, Signac, Pissarro	Technique visant à décomposer la couleur en points

CUBISME	**1907-1917**	France	Georges Braque, Picasso, Fernand Léger, Delaunay, Duchamp, Juan Gris, Brancusi	Nouvelle façon de représenter objets et personnages en trois dimensions bouleverse la notion de représentation dans l'art
FUTURISME	**1909-1920**	Italie et Russie	Filippo Tommaso Marinetti, Luigi Russolo, Boccioni, Malevitch	Exaltation de la modernité, de la vitesse, de la machine et de la civilisation urbaine
FAUVISME	**1905-1910**	France	Henri Matisse, André Derain, Maurice de Vlaminck, Raoul Dufy	Art basé sur l'exaltation de la couleur, la simplification des formes
EXPRESSIONNISME	**Fin XIXe-XXe siècle**	Europe	Van Gogh, Edvard Munch, James Ensor	Manière de peindre destinée à provoquer de l'émotion, touches vigoureuses et couleurs vives
DIE BRÜCKE	**1905-1913**	Dresde puis Berlin	Kirchner, Heckel, Karl Schmidt-Rottluff, Emil Nolde, Otto Mueller	Expressionnisme allemand
BAUHAUS	**1919-1933**	Allemagne	Breuer, Albers, Itten	Mouvement important dans l'évolution des idées et des techniques modernes
BLAUE REITER	**1911-1914**	Munich	Kandinsky, Marc, Klee, Macke, Jawlensky	Abstraction lyrique
ART ABSTRAIT	**À partir de 1910**		Kandinsky, Mondrian, Malevitch, Delaunay	Art qui se détourne de toute représentation du réel.
NÉOPLASTICISME	**1917-1944**	Pays-Bas	Piet Mondrian, groupe De Stijl	Usage strict de la ligne droite et des trois couleurs primaires (jaune, rouge, bleu) et des trois non-couleurs (blanc, gris, noir)
SUPRÉMATISME	**À partir de 1913**	Russie	Kasimir Malevitch, El Lissitzky, Ivan Puni	Abstraction totale utilisant des structures géométriques
DADA	**1915-1924**	Zurich, New York, Berlin, Cologne, Hanovre, Paris	Tzara, Arp, Duchamp, Picabia, Man Ray, Hausmann	En révolte contre la civilisation occidentale, ce mouvement se manifeste par des provocations et des dérisions.
SURRÉALISME	**1924-1969**	Paris	Breton, Dali, Tanguy, Miro, Ernst, Magritte	Suprématie donnée au rêve et à l'imagination
EXPRESSIONNISME ABSTRAIT	**1950-1960**	États-Unis	Pollock, De Kooning	Simplification des formes, véhémence de la couleur, *action painting*
POP ART	**1950**	Londres, États-Unis	Andy Warhol, Roy Lichtenstein	Art inspiré de la société de consommation

RECORD$ DE PRIX

Le 3 février 2010, un nouveau record dans le monde de l'art est atteint, celui de la plus grosse vente aux enchères jamais réalisée : *L'Homme qui marche 1*, une sculpture d'Alberto Giacometti. Alors que sa cote est estimée à 12 millions de livres, il n'a pas fallu plus de huit minutes pour qu'elle soit vendue **104,3 millions de dollars,** soit cinq fois plus ! Le précédent record datait de 2004 : *Le Garçon à la pipe*, tableau de Pablo Picasso, avait été vendu **104,2 millions de dollars.**

Autres prix exorbitants :
- En 2006, *Dora Maar au chat* de Picasso : 95,2 millions de dollars
- En 2008, *Triptyque* de Bacon : 86,2 millions de dollars
- En 1990, *Portrait du docteur Gachet* de Van Gogh : 82,5 millions de dollars
- En 2002, *Massacre des Innocents* de Rubens 76,7 millions de dollars
- En 2007, *White Center* de Rothko : 72,8 millions de dollars
- En 2007, *Green Car Crash* de Warhol : 71,7 millions de dollars
- En 1998, *Portrait de l'artiste sans barbe* de Van Gogh : 71,5 millions de dollars
- En 1987, *Les Iris* de Van Gogh : 53,9 millions de dollars

ACTE D'AMOUR OU VANDALISME ?

19 juillet 2007, l'artiste Sam Rindy a embrassé une œuvre toute blanche de Cy Twombly, y laissant une marque de rouge à lèvres indélébile.

UN ARTISTE SPORTIF !

Yves Klein a été ceinture noire quatrième dan de judo, un niveau jusque-là inégalé en France. Il a même ouvert sa propre école de judo, qui ferma rapidement pour des raisons financières, et qu'il avait décorée de monochromes.

DES FAUX PLUS BEAUX QUE LES VRAIS !

Entre 1930 et 1940, Hans Van Meegeren réalise des tableaux qu'il signe « Vermeer » et réussit à tromper les experts, faisant passer plusieurs de ses toiles pour des chefs-d'œuvre. Or, après avoir vendu un « Vermeer » à Goering, il fut emprisonné par les Alliés et dut peindre un faux Vermeer en prison devant six témoins afin de prouver qu'il n'avait pas vendu un original. De tout temps, les faussaires ont copié, en imitant leur manière, les grands peintres : Rembrandt, Watteau, Corot, Bonnard, Derain, Dufy, Modigliani, Mondrian, Picasso, Basquiat sont parmi les plus célèbres.

EN MAL DE GLOIRE !

« Au moins on parlera de moi. »

Le 11 août 1932, un ingénieur du nom de Pierre Guillard, en visite au Louvre, se précipite sur *L'Angélus* de Millet (aujourd'hui au musée d'Orsay) et perce la toile de plusieurs coups de couteau. Maîtrisé par les gardiens et amené au poste de police, il déclare : « Au moins on parlera de moi. »

VOLS DE TABLEAUX CÉLÈBRES

▮ En 1911, la fameuse *Joconde* de Léonard de Vinci est volée au musée du Louvre par un ouvrier italien, qui souhaitait rendre ce chef-d'œuvre à son pays. Il n'est retrouvé que deux ans plus tard à Florence.

▮ En 1985, *Impression, soleil levant* de Claude Monet est volé au musée Marmottan, à Paris, avec quatre autres de ses œuvres et une de Renoir. *Impression, soleil levant* est retrouvé cinq ans plus tard chez un malfrat corse qui avait essayé de le négocier avec un Japonais.

▮ Le dimanche 22 août 2004, il faut moins d'une minute à des cambrioleurs armés et cagoulés pour s'emparer de deux tableaux du peintre norvégien Edvard Munch, une *Madone* et son célèbre *Cri*, sous les yeux ébahis des gardiens et des visiteurs du musée d'Oslo! Les deux tableaux sont retrouvés le 31 août 2006 en « assez bon état », *Le Cri* étant marqué d'une grosse trace d'humidité.

DESSUS DESSOUS !

En 1946, Picasso est hébergé quelque temps au musée d'Antibes. Il se sert d'un tableau conservé dans les réserves pour peindre *Le Gobeur d'oursin*, qu'il offre en remerciement au musée. En radiographiant ce tableau, on a découvert le portrait du fondateur de la société des amis de ce musée, considéré jusque-là comme disparu!

PETIT LEXIQUE TECHNIQUE

- **Aplat :** surface peinte de façon uniforme, sans modelé
- **Cadrage :** mise en place du sujet dans les limites d'un format
- **Composition :** organisation des lignes, couleurs et formes dans un tableau
- **Construction :** grandes lignes qui organisent une composition
- **Contre-plongée :** point de vue allant du bas vers le haut
- **Couleurs primaires :** bleu (cyan), rouge (magenta) et jaune
- **Couleurs secondaires :** orange (jaune+rouge), vert (bleu+jaune), violet (rouge+bleu)
- **Couleurs complémentaires :** bleu ↔ orange, rouge ↔ vert, jaune ↔ violet
- **Esquisse :** essai préparatoire à grands traits et de dimension réduite d'un dessin ou d'une peinture
- **Glacis :** effet transparent donné à une couleur
- **Rendu :** perfection dans l'exécution d'une œuvre
- **Sfumato :** procédé inventé par Léonard de Vinci, consistant à dégrader les tons entourant un objet ou un personnage
- **Support :** matériau (bois, toile, papier, plaque de métal ou autres) sur lequel une œuvre est peinte ou dessinée
- **Touche :** manière dont le peintre, avec son pinceau, pose la couleur sur la toile
- **Valeur :** intensité lumineuse d'une couleur

LES GRANDS MUSÉES DE FRANCE

VILLE	MUSÉE	ŒUVRES CLÉS
Aix-en-Provence	Musée Granet	*Autoportrait*, Rembrandt *Jupiter et Thétis*, Ingres Collection Paul Cézanne
Ajaccio	Musée Fesch	*Vierge à la guirlande*, Botticelli *Homme au gant*, Le Titien *Le Départ de Rebecca*, Véronèse
Albi	Musée Toulouse-Lautrec	*Au salon de la rue des Moulins*, Toulouse-Lautrec *Intérieur à Ciboure*, Matisse
Bayonne	Musée Bonnat	*Duc de Benavente*, Le Greco *Autoportrait*, Goya *Baigneuse à mi-corps*, Ingres
Bordeaux	Musée des Beaux-Arts	*Sainte Famille*, Véronèse *Le Martyre de saint Georges*, Rubens *La Grèce expirant sur les ruines*, Missolonghi *Paysage corse*, Matisse
Caen	Musée des Beaux-Arts	*La Tentation de saint Antoine*, Véronèse *Abraham et Melchisédech*, Rubens *Les Nymphéas*, Monet
Chantilly	Musée Condé	*Très Riches Heures du duc de Berry*, les frères Limbourg *L'Automne*, Botticelli *La Madone de Lorette*, Raphaël *Les Trois Grâces*, Raphaël
Colmar	Musée d'Unterlinden	*Portrait de femme*, Holbein *Polyptique des Antonins d'Issenheim*, Grünewald *Le Peintre au travail*, Picasso
Dijon	Musée des Beaux-Arts	*L'Éducation de la Vierge*, Tiepolo *Relief - Rythme*, Delaunay *Footballeurs*, de Staël
Grenoble	Musée de Peinture et de Sculpture	*Saint Grégoire pape, entouré de saints et de saintes*, Rubens *Saint Jérôme pénitent*, La Tour *Roger délivrant Angélique*, Delacroix *Au coin de l'étang à Giverny*, Monet *Intérieur aux aubergines*, Matisse *Femme lisant*, Matisse
Lille	Musée des Beaux-Arts	*Le Martyre de saint Georges*, Véronèse *Les Vieilles, les Jeunes*, Goya *Saint François en prière*, Le Greco *Vétheuil le matin*, Monet
Lyon	Musée des Beaux-Arts	*Moïse sauvé des eaux*, Véronèse *Le Christ dépouillé de ses vêtements*, Le Greco *Vue de Londres*, Monet *La Paysanne hollandaise*, Van Gogh *Le Buffet du Catalan*, Picasso
Marseille	Musée des Beaux-Arts	*Chasse au sanglier*, Rubens *Le Christ et la femme adultère*, Tiepolo *Saint Roch priant pour les pestiférés*, David
Montauban	Musée Ingres	*Roger délivrant Angélique*, Ingres *Songe d'Ossian*, Ingres
Montpellier	Musée Fabre	*Femmes d'Alger*, Delacroix *Baigneuses*, Courbet *Bonjour M. Courbet*, Courbet

Nancy	Musée des Beaux-Arts	*L'Aurore et Céphale*, Boucher
		La Bataille de Nancy, Delacroix
		Portrait de Germaine Survage, Modigliani
Nantes	Musée des Beaux-Arts	*Le Joueur de vielle*, La Tour
		Les Cribleuses de blé, Courbet
		Les Nymphéas, Monet
Nice	Musée Matisse	*Nymphe dans la forêt*, Matisse
		Le Fauteuil rocaille, Matisse
Orléans	Musée des Beaux-Arts	*L'Apôtre saint Thomas*, Vélasquez
Paris	Musée du Louvre	*Le Couronnement de la Vierge*, Fra Angelico
		La Bataille de San Romano, Uccello
		La Joconde, Léonard de Vinci
		Balthazar Castiglione, Raphaël
		Le Concert champêtre, Le Titien
		La Mort de la Vierge, Le Caravage
		Les Sabines, David
		L'Astronome, Vermeer
	Musée de l'Orangerie	*Les Nymphéas*, Monet
	Musée d'Orsay	*Le Déjeuner sur l'herbe*, Manet
		La Classe de danse, Degas
		Le Moulin de la Galette, Renoir
		Les Joueurs de cartes, Cézanne
		Les Femmes de Tahiti, Gauguin
		Portrait de l'artiste par lui-même, Van Gogh
		Le Cirque, Seurat
		L'Angélus, Millet
		L'Olympia, Manet
	Centre Pompidou	*New York City, 1942*, Mondrian
		La Tristesse du roi, Matisse
		Arc double-face, Nam June Paik
		Roue de bicyclette, Duchamp
Reims	Musée des Beaux-Arts	*Le Repas de paysans*, les frères Le Nain
		Portrait de jeune fille, Fragonard
		Le Lac d'Albano, Corot
Rennes	Musée des Beaux-Arts	*Le Nouveau-né*, La Tour
		Chasse au tigre, Rubens
		Nature morte aux oranges, Gauguin
Rouen	Musée des Beaux-Arts	*L'Homme à la mappemonde*, Vélasquez
		La Flagellation, Le Caravage
		L'Orage, Poussin
		Portail de la cathédrale de Rouen, Monet
		La Rue Saint-Denis pavoisée, Monet
		La Femme au miroir, Renoir
St-Germain-en-Laye	Musée d'Archéologie	*La Dame à la capuche*
Strasbourg	Musée des Beaux-Arts	*Crucifixion*, Giotto
		Vierge à l'Enfant et deux anges, Botticelli
		La Fornarina, Raphaël
	Musée d'Art moderne	*Le Champ d'avoine*, Monet
		Nature morte avec gravure, Gauguin
		Nature morte, Braque
		Port nocturne, Klee
Toulouse	Musée des Augustins	*Le Christ en croix*, Rubens
		Vue de Venise, Guardi
Tours	Musée des Beaux-Arts	*Le Christ au jardin des oliviers*, Mantegna
		La Fuite en Égypte, Rembrandt
		La Vierge présentant l'Enfant aux donateurs, Rubens
Villeneuve-d'Ascq	Musée d'Art moderne du Nord	*La Roche-Guyon*, Braque
		Le Mécanicien, Léger
		Homme nu assis et *Le Bock*, Picasso

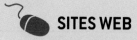 **SITES WEB**

www.junior.centrepompidou.fr
Ce site produit par le Centre Georges-Pompidou est entièrement dédié au jeune public dans le but de l'initier à l'art contemporain en lui présentant de manière ludique des œuvres clés telles que *L'Arbre, grande éponge bleue (SE 71)* d'Yves Klein.

www.louvre.fr
Le site officiel du musée du Louvre présente toute son actualité : collections permanentes, expositions, etc.

www.musee-orsay.fr
Le site officiel du musée d'Orsay présente toute l'actualité : les collections permanentes, les expositions, etc.

histoiredesarts.culture.fr
Ce portail proposé par le ministère de la Culture et de la Communication offre un accès direct à des œuvres commentées au primaire, au collège et au lycée.

www.arts-programme.com
Pour connaître l'agenda des grandes expositions en France et à l'étranger.

dartdart.france2.fr/
Pour visionner les archives de l'émission *D'Art d'art !*

www.curiosphere.tv/gauguin
Site créé par France 5 pour découvrir Gauguin et son œuvre à travers des jeux.

www.bemberg-educatif.org
Ce site, créé par la fondation Bemberg de Toulouse, propose de découvrir l'art en s'amusant à travers la nature morte, le portrait, les paysages, etc. et même une petite histoire de la peinture.

www.lascaux.culture.fr
Un site du ministère de la Culture dédié à Lascaux. Ne pas rater l'impressionnante simulation de la visite de la grotte

expositions.bnf.fr/
Le site d'expositions virtuelles de la BNF propose des dossiers passionnants sur les expositions en cours et conserve les archives des expositions passées.

 FILMS

La Belle Noiseuse
de Jacques Rivette (1991)
Un peintre vieillissant est rongé par un secret qui l'obsède : l'abandon, dix ans auparavant, d'un grand tableau qui devait être son chef-d'œuvre et dont sa femme était le modèle.

Van Gogh
de Maurice Pialat (1991)
Les derniers jours du peintre Van Gogh venu se faire soigner chez le docteur Gachet à Auvers-sur-Oise. Terribles derniers jours partagés entre une création intensive, des amours malheureuses et, surtout, le désespoir.

Surviving Picasso
de James Ivory (1996)
Un mélodrame sur Picasso et son goût pour les femmes.

Rembrandt
de Charles Matton (1999)
Rembrandt Van Rijn est déja célèbre à son arrivée à Amsterdam. Son œuvre coïncide avec le goût de son temps.

La Jeune Fille à la perle
de Peter Webber (2003)
Adapatation du roman de Tracy Chevalier qui a imaginé l'histoire du fameux tableau éponyme de Johannes Vermeer.

La Ronde de nuit
de Peter Greenaway (2008)
La vie de Rembrandt à l'époque où il peint *La Ronde de nuit*.

⏯ ÉMISSIONS TÉLÉ

D'Art d'art !
Sur France 2
L'histoire d'une œuvre racontée avec verve par Frédéric Taddei en 1 minute 15 secondes.

Palettes
Série écrite et réalisée par Alain Jaubert, disponible en DVD
40 chefs-d'œuvre commentés, une série culte.

LIVRES

• Collections sur l'art

Collection « L'Art et la Manière »,
Éditions Palette
Monographies consacrées aux grands
artistes et aux grands mouvements.
À partir de 8 ans

**Collection « Toutes mes histoires
de l'art »**, *Éditions Courtes et Longues*
Chaque volume présente un grand
courant de l'histoire de l'art, à travers
des textes généraux et des
commentaires d'œuvres, et des ateliers
créatifs imaginés à partir des œuvres
présentées. À partir de 8 ans

Collection « Salut l'artiste »,
Éditions RMN
Des livres-jeux et documentaires.

Collection « L'Art en jeu »,
Éditions du Centre Pompidou
Pour une découverte visuelle de l'art
moderne et contemporain.

• Ouvrages documentaires

La Grande Parade de l'art, *O. Berbet-
Massin et C. Larroche, Éditions Palette*
Ou comment parler d'art autrement,
en confrontant des œuvres anciennes
et récentes. À partir de 10 ans

Le Monde des musées,
C. Larroche, Éditions Palette
Pour visiter les coulisses et les
collections des grands musées
du monde. À partir de 10 ans.

**Les Grandes Dates de l'Histoire
de France en peinture**,
B. Fontanel, Gallimard Jeunesse
40 dates de l'histoire de France, chacune
illustrée par un tableau.

• Romans

Le Portrait de Dorian Gray
d'Oscar Wilde
Ce roman fantastique évoque le thème
de l'esthétisme dans l'art.

Le Chef-d'œuvre inconnu *de Balzac*
Nouvelle qui propose une réflexion sur
l'art, l'artiste et son modèle. Elle inspira
le film de Jacques Rivette *La Belle
Noiseuse*.

Comment Wang-Fô fut sauvé
de Marguerite Yourcenar, Folio Cadet
Un vieux peintre chinois détient un
pouvoir qu'il transmet à ses tableaux...

L'Œuvre *d'Émile Zola*
Roman ayant pour cadre le monde
de l'art et comme personnage un peintre
maudit qui n'est pas sans rappeler Paul
Cézanne.

Le Vieux Fou de dessin
de François Place, Folio Junior
L'histoire de Hokusai, le vieillard fou
de dessin, le plus grand artiste japonais,
le maître des estampes, l'inventeur
des mangas.

• Théâtre

« ART »
Yasmina Reza
Pièce de théâtre partant d'un débat
autour de l'art contemporain.

• Bandes dessinées

Rembrandt
Denis Debrez chez Casterman
La vie du peintre Rembrandt.

Vincent et Van Gogh
Gradimir Smudja chez Delcour
Une interprétation pleine d'humour
du talent de Vincent Van Gogh.

Le Bordel des muses
Gradimir Smudja chez Delcour
Une BD retraçant assez librement
la vie de Toulouse-Lautrec.

• Revues

Dada, à partir de 8 ans
La première revue d'art pour enfants,
qui explore avec 9 numéros thématiques
par an l'univers des artistes, de
l'Antiquité à nos jours.

Le Petit Léonard, de 6 à 13 ans
Mensuel consacré à l'histoire de l'art
et au patrimoine, de la Préhistoire
à nos jours.